上海图书馆馆藏拂尘·老课本

世界书局国语读本

（下册）

魏冰心等◎编
薛天汉等◎校订

上海科学技术文献出版社

目 录

蚊子弟弟，
昨天一陣雷雨，把我們分散了，很是想念。
我回想昨天同你坐在窗前，欣賞那群孩子的
接著，我佩服你做的把戲，實在有趣。
後來，群孩子的姊姊要捉我，我就躲進廚房
糕，並且移動我的腳，讓腳上的微生蟲下來散
不久，群孩子吃了那塊糕，我也飛開了。
晚上，我聽得群孩子喊肚痛，接連瀉了三回。
弟！我做的把戲，你覺得怎樣？

大蟋蟀很驕傲，坐在草上，拱着翅膀，唱得勝歌。公
雞在後面瞧見了，非常生氣，一口把他啄住。這隻驕
做的蟋蟀，就做了公雞的晚餐。

誠實的華盛頓

華盛頓小時候，拿了一把
小斧頭，走到花園裏，他要試試
斧頭快不快，就把一棵櫻桃樹砍
斷了。
父親回來，到花園裏去散步，看見櫻桃

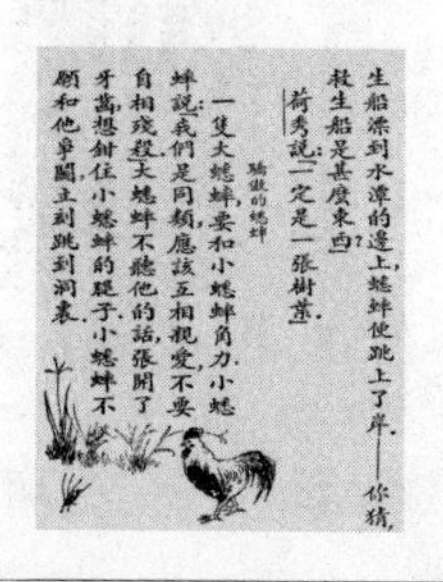
生船漂到水潭的邊上，蟋蟀便跳上了岸。——你猜，
救生船是甚麼東西？
荷秀說：「一定是一張樹葉。」

驕傲的蟋蟀

一隻大蟋蟀，要和小蟋蟀角力。小蟋
蟀說：「我們是同類，應該互相親愛，不要
自相殘殺。」大蟋蟀不聽他的話，張開了
牙齒，想鉗住小蟋蟀的腿子。小蟋蟀不
願和他爭鬬，立刻跳到洞裏。

而喊道：快來呀，隄上有了洞了。但是沒有一個人
得他的叫喊。
這時候，天色已黑。嚴達肚
子很餓，身上又冷，十分憂急。
他想：我要防止水災，只得受
些風寒，挨到天亮了。
明天清早，有幾個工人走
過，嚴達急忙告訴他們。工人
們便把那洞口塞住。海邊的

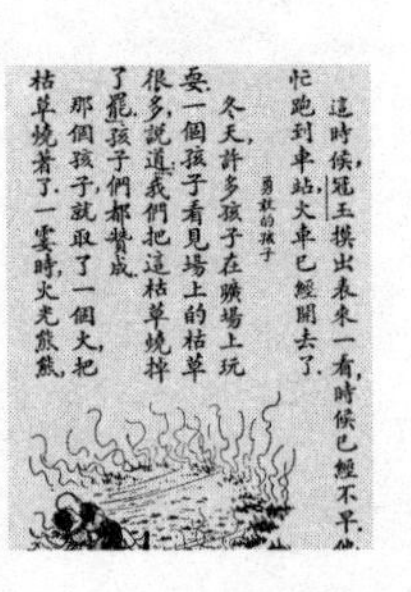

這時候，冠玉摸出表來一看，時候已經不早，
忙跑到車站，火車已經開去了。

勇敢的孩子

冬天，許多孩子在曠場上玩
耍。一個孩子看見場上的枯草
很多，說道，我們把這枯草燒掉
了罷。孩子們都贊成。
那個孩子，就取了一個火，把
枯草燒着了。一霎時，火光熊熊，

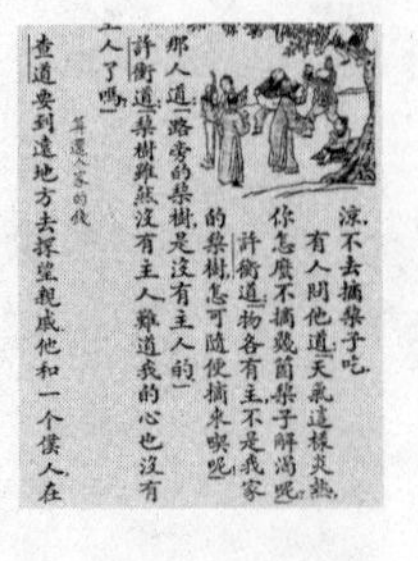

涼，不去摘梨子吃。
有人問他道，「天氣這樣炎熱，
你怎麼不摘幾箇梨子解渴呢？」
許衡道，「物各有主，不是我家
的梨樹，怎可隨便摘來喫呢？」
那人道，「路旁的梨樹，是沒有主人的。」
許衡道，「梨樹雖然沒有主人，難道我的心也沒有
主人了嗎？」

尋還人家的錢

查道要到遠地方去探望親戚，他和一个僕人在

池邊有幾株楊柳.
天早晨，黃鶯停在樹枝頭，
唱著歌兒不住口.
走到樹下靜聽，
彷彿舞臺上，
在合奏音樂的時候.
好聽呀！ 我那肯離開了他就走.
・・・・
池邊有幾株楊柳.

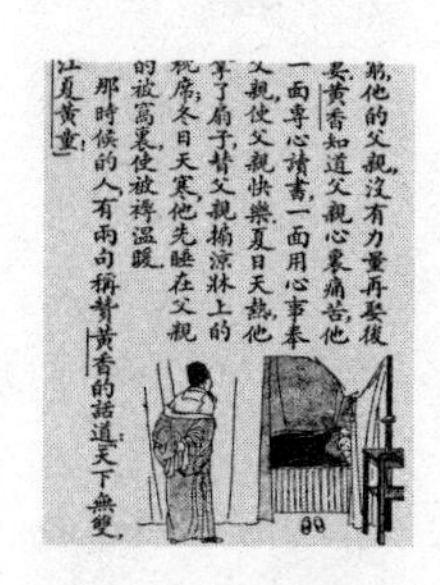
弟，他的父親，沒有力量再娶後
妻，黃香知道父親心裏痛苦，他
一面專心讀書，一面用心事奉
父親，使父親快樂。夏日天熱，他
拿了扇子，替父親搧涼牀上的
枕席；冬日天寒，他先睡在父親
的被窩裏，使被褥溫暖.
那時候的人，有兩句稱贊黃香的話道：天下無雙，
江夏黃童！

蒼松和紅梅
白雪飛，泉水凍，
山上的樹木，葉落枝空，
只有幾株蒼松，
卻不怕雪飛水凍，
精神飽滿體力充，
枝幹挺立葉青蔥，
好像幾個老公公，
濃霜打，北風吹，
園裏的花草，凋殘憔悴，
只有幾株紅梅，

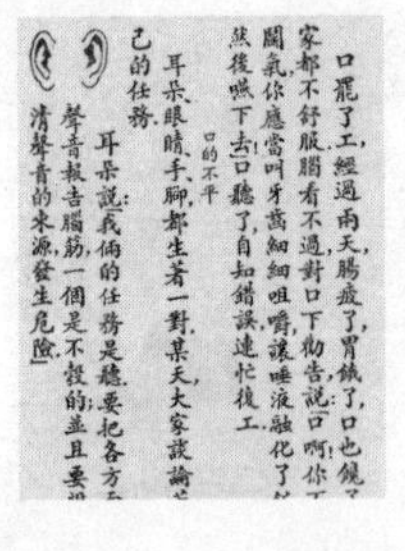
口罷了工，經過兩天，腸瘦了，胃餓了，口也餓
家都不舒服，腦看不過，對口下勸告說：「口啊！你
鬧氣，你應當叫牙齒細細咀嚼，讓唾液融化了
然後嚥下去！」口聽了，自知錯誤，連忙復工。
口的不平
耳朵、眼睛、手、腳，都生着一對，某天大家談
己的任務。
耳朵說：「我倆的任務是聽，要把各方
聲音報告腦筋，一個是不殼的；並且要
清聲音的來源，發生危險，」

苍蝇给蚊子的信

蚊子弟弟:
昨天一陣雷雨,把我們分散了,很是想念.
我回想昨天同你坐在窗前,欣賞那髒孩子的搔癢.我佩服你做的把戲,實在有趣.
後來,髒孩子的姊姊要捉我,我就躲進廚房吃糕.並且移動我的腳,讓腳上的微生蟲下來散步.不久,髒孩子吃了那塊糕,我也飛開了.
晚上,我聽得髒孩子喊肚痛,接連瀉了三回.弟弟!我做的把戲,你覺得怎樣?

第1课 苍蝇给蚊子的信

蚊子弟弟：昨天一阵雷雨，把我们分散了，很是想念。我回想昨天同你坐在窗前，欣赏那脏孩子的搔痒。我佩服你做的把戏，实在有趣。后来，脏孩子的姊姊要捉我，我就躲进厨房吃糕。并且移动我的脚，让脚上的微生虫下来散步。不久，脏孩子吃了那块糕，我也飞开了。晚上，我听得脏孩子喊肚痛，接连泻了三回。弟弟！我做的把戏，你觉得怎样？你的哥哥苍蝇。八月十日。

你的哥哥蒼蠅 八月十日

蚊子覆蒼蠅的信

蒼蠅哥哥:
你的信收到了.你做的把戲真好,我很佩服.
我前天同你分別以後,也有人要捉我.我就躲
在髒孩子坐的櫈子底下,預備遇到機會,用力咬
他幾口.讓微生蟲鑽進他的血管裏去玩耍.
後來被我實行了.我料到過了幾天,髒孩子一
定會發瘧疾,等他冷得發抖、熱得發昏的時候,請

第2课 蚊子复苍蝇的信

苍蝇哥哥：你的信收到了。你做的把戏真好，我很佩服。我前天同你分别以后，也有人要捉我。我就躲在脏孩子坐的凳子底下，预备遇到机会，用力咬他几口。让微生虫钻进他的血管里去玩耍。后来被我实行了。我料到过了几天，脏孩子一定会发疟疾，等他冷得发抖、热得发昏的时候，请你来参观参观，好不好？再会。你的弟弟蚊子。八月十一日。

你來參觀參觀，好不好？再會。

你的弟弟蚊子 八月十一日

救生船

雷雨過後，梅芬到園裏去玩。隔了好久，才回到屋子裏。梅芬的妹妹荷秀說：「姐姐，你在園裏做甚麼？」梅芬說：「園裏梧桐樹旁邊，有一個大水潭。一隻蟋蟀，被雨水沖到了潭裏，跳不出來，很是可憐。我忙把一隻救生船，放在潭裏。那隻蟋蟀，立刻跳上了船。救

第3课 救生船

雷雨过后，梅芬到园里去玩。隔了好久，才回到屋子里。梅芬的妹妹荷秀说：“姐姐，你在园里做什么？”梅芬说：“园里梧桐树旁边，有一个大水潭。一只蟋蟀，被雨水冲到了潭里，跳不出来，很是可怜。我忙把一只救生船，放在潭里。那只蟋蟀，立刻跳上了船。救生船漂到水潭的边上，蟋蟀便跳上了岸。——你猜，救生船是什么东西？”荷秀说：“一定是一张树叶。”

生船漂到水潭的邊上蟋蟀便跳上了岸.——你猜,救生船是甚麼東西』?荷秀說:『一定是一張樹葉.』

驕傲的蟋蟀

一隻大蟋蟀,要和小蟋蟀角力.小蟋蟀說:『我們是同類,應該互相親愛,不要自相殘殺.』大蟋蟀不聽他的話,張開了牙齒,想鉗住小蟋蟀的腿子.小蟋蟀不願和他爭鬬,立刻跳到洞裏.

第 4 课　骄傲的蟋蟀

一只大蟋蟀，要和小蟋蟀角力。小蟋蟀说：“我们是同类，应该互相亲爱，不要自相残杀。”大蟋蟀不听他的话，张开了牙齿，想钳住小蟋蟀的腿子。小蟋蟀不愿和他争斗，立刻跳到洞里。大蟋蟀很骄傲，坐在草上，扑着翅膀，唱得胜歌。公鸡在后面瞧见了，非常生气，一口把他啄住。这只骄傲的蟋蟀，就做了公鸡的晚餐。

大蟋蟀很驕傲坐在草上，撲着翅膀，唱得勝歌。公雞在後面瞧見了，非常生氣，一口把他啄住。這隻驕傲的蟋蟀，就做了公雞的晚餐。

誠實的華盛頓

華盛頓小時候，拿了一把小斧頭，走到花園裏。他要試試斧頭快不快，就把一棵櫻桃樹砍斷了。

父親回來，到花園裏去散步，看見櫻桃

第 5 课 诚实的华盛顿

华盛顿小时候，拿了一把小斧头，走到花园里。他要试试斧头快不快，就把一棵樱桃树砍断了。父亲回来 ，到花园里去散步，看见樱桃树倒在地上，非常动怒，便问：“是谁砍断的？”家里的人都不敢直说。华盛顿走上前去，说：“父亲，是我砍断的。”父亲听了华盛顿的话，并不责备，却安慰他说：“你能够说诚实的话，我很欢喜你。”

樹倒在地上，非常動怒，便問：「是誰砍斷的？」家裏的人都不敢直說。華盛頓走上前去，說：「父親，是我砍斷的。」父親聽了華盛頓的話，並不責備，卻安慰他說：「你能夠說誠實的話，我很歡喜你。」

司馬光不再說謊話

司馬光請姊姊剝去胡桃上的皮。姊姊剝了好久，沒有剝去，就走開了。

後來，司馬光請女傭人剝。女傭人把胡桃放在熱湯裏一泡，皮就剝去了。

第6课　司马光不再说谎话

司马光请姊姊剥去胡桃上的皮。姊姊剥了好久，没有剥去，就走开了。后来，司马光请女佣人剥。女佣人把胡桃放在热汤里泡，皮就剥去了。姊姊走来，问："胡桃上的皮，是谁剥去的？"司马光说："是我自己剥去的。"父亲在旁边说："哼！小孩子怎么说谎话？"司马光听了，羞得满脸通红。从此以后，他决不再说一句谎话。

姊姊走來問：「胡桃上的皮，是誰剝去的？」司馬光說：『是我自己剝去的。』父親在旁邊說：『哼！小孩子怎麼說謊話？』司馬光聽了，羞得滿臉通紅。從此以後，他決不再說一句謊話。

司馬光急智救朋友

司馬光和幾個小朋友，在院子裏捉迷藏。一個孩子，因為怕捉着，立在一隻大水缸上。不料兩脚一滑，使跌在缸裏。孩子們沒有法想，都嚷着說：「缸裏的水

第7课 司马光急智救朋友

司马光和几个小朋友，在院子里捉迷藏。一个孩子因为怕捉着，立在一只大水缸上。不料两脚一滑，便跌在缸里。孩子们没有法想，都嚷着说：“缸里的水很深，怎样救他出来呢？”司马光却并不慌张，随手搬了一块石头，乒乓一响，把缸的侧面打了一个洞。缸里的水从洞口一齐流出来，那个孩子才没有淹死。

很深，怎樣救他出來呢？司馬光卻並不慌張，隨手搬了一塊石頭，乒乓一響，把缸的側面打了一個洞。缸裏的水，從洞口一齊流出來，那個孩子才沒有淹死。

樹洞裏的毬

幾個孩子，聚在樹底下拍毬。樹根旁邊，有一個很深的洞。大家拍得起勁，一個不留心，那個毬滾到洞裏去了。大家都瞪著眼睛想方法，有的折了樹枝，伸

第 8 课 树洞里的球

几个孩子，聚在树底下拍球。树根旁边，有一个很深的洞。大家拍得起劲，一个不留心，那个球滚到洞里去了。大家都瞪着眼睛想方法，有的折了树枝，伸进洞里去探；有的在带子上缚了钩子去引，但是都取不出那个球。有一个孩子，名叫文彦博。他去舀了一桶水，灌进洞里。洞里的水满了，那个球也氽出来了。

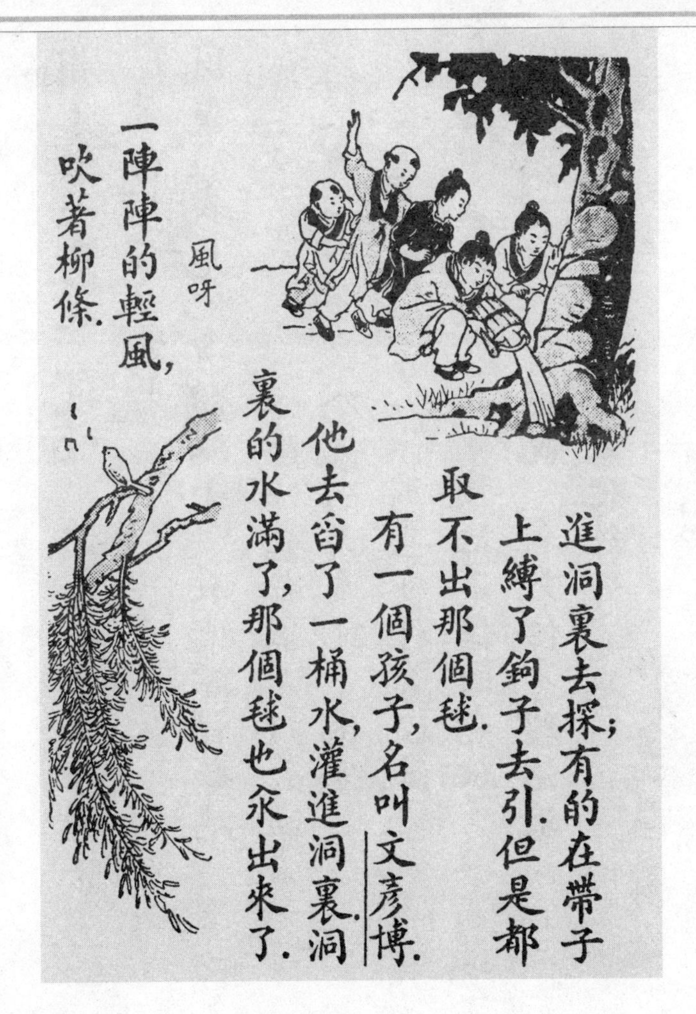
進洞裏去探；有的在帶子上縛了鉤子去引.但是都取不出那個毬.

有一個孩子,名叫文彥博.他去舀了一桶水,灌進洞裏.洞裏的水滿了,那個毬也氽出來了.

風呀

一陣陣的輕風,吹着柳條.

第 9 课 风呀

一阵阵的轻风，吹着柳条。树上的小鸟说："风呀！你为什么吹着柳条，使他不住的动摇？"风说："我见他身体细小，教他练习舞蹈。"一阵阵的狂风，打着波涛。水里的大鱼说："风呀！你为什么打着波涛，使他不住的奔跳？"风说："我见他身体活泼，教他练习赛跑。"

樹上的小鳥說「風呀！　你為甚麼吹着柳條，

使他不住的動搖？」

風說：「我見他身體細小，　教他練習舞蹈。」

一陣陣的狂風，　打着波濤。

水裏的大魚說：「風呀！

你為甚麼打着波濤，

使他不住的奔跳？」

風說：「我見他身體活潑，

教他練習賽跑。」

能够收回来嗎

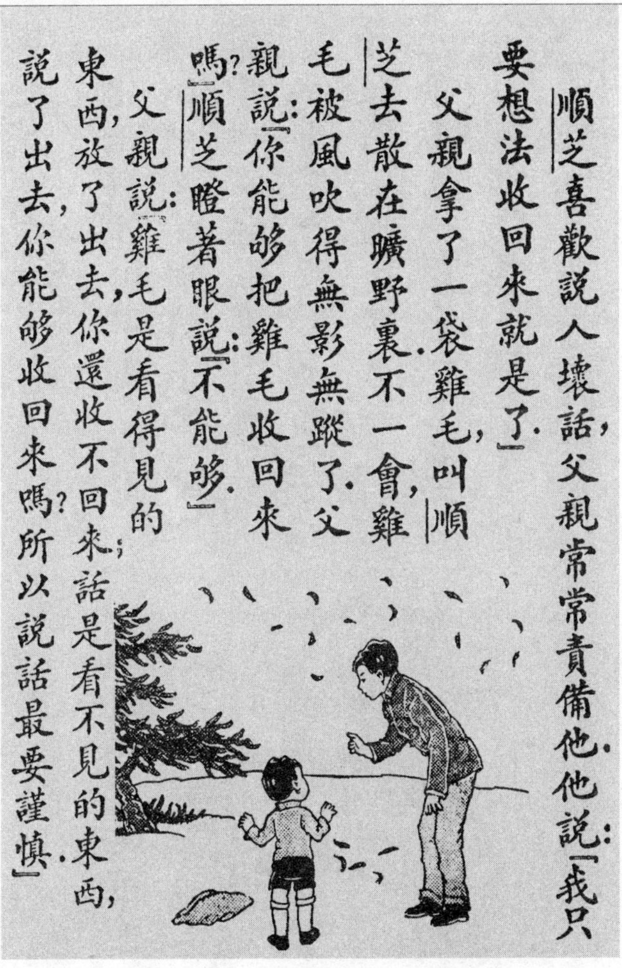

順芝喜歡說人壞話，父親常常責備他.他說：「我只要想法收回來就是了.」父親拿了一袋雞毛，叫順芝去散在曠野裏.不一會，雞毛被風吹得無影無蹤了.父親說：「你能夠把雞毛收回來嗎？」順芝瞪着眼說：「不能夠.」父親說：「雞毛是看得見的東西，放了出去，你還收不回來；話是看不見的東西，說了出去，你能夠收回來嗎？所以說話最要謹慎.」

第10课 能够收回来吗

顺芝喜欢说人坏话，父亲常常责备他。他说：“我只要想法收回来就是了。”父亲拿了一袋鸡毛，叫顺芝去散在旷野里。不一会，鸡毛被风吹得无影无踪了。父亲说：“你能够把鸡毛收回来吗？”顺芝瞪着眼说：“不能够。”父亲说：“鸡毛是看得见的东西，放了出去，你还收不回来；话是看不见的东西，说了出去，你能够收回来吗？所以说话最要谨慎。”

定國過生日

定國過生日的那一天，幾個小朋友，約定送禮物.和中送一隻佛手，他說：「祝你手指靈活，做事高興」平華送一段嫩藕，他說：「祝你腰腳輕健，走路有勁」保民送一袋花生，他說：「祝你長生不老，永遠年青」定國很快樂的說：「謝謝各位的禮物.我願大家身

第11课 定国过生日

定国过生日的那一天，几个小朋友，约定送礼物。和中送一只佛手，他说：“祝你手指灵活，做事高兴。”平华送一段嫩藕，他说：“祝你腰脚轻健，走路有劲。”保民送一袋花生，他说：“祝你长生不老，永远年青。”定国很快乐的说：“谢谢各位的礼物，我愿大家身体强健，精神充足。”

體強健,精神充足.」

茶話會(一)

定國過生日的那一天,開了一個茶話會.許多小朋友,都來表演遊藝.

保民說:「誰能先說出一件用具,再把這用具的名稱顛倒過來,成為一種動作?」

和中首先說:「一件用具是牙刷,顛倒過來,便成為刷牙的動作.」

平華接着也說:「一件用具是門閂,顛倒過來,便成

第12课 茶话会

定国过生日的那一天，开了一个茶话会。许多小朋友，都来表演游艺。保民说：“谁先说出一件用具，再把这用具的名称颠倒过来，成为一种动作？”和中首先说：“一件用具是牙刷，颠倒过来，便成为刷牙的动作。”平华接着也说：“一件用具是门闩，颠倒过来，便成为闩门的动作。”许多小朋友听了，都拍掌说“好极了。”定国请许多小

為門門的動作.」
許多小朋友聽了，都拍掌說：「好極了.」

茶話會(二)

定國請許多小朋友吃了一些糖果.他說：「我有一個謎語：「黃盒子，十八格；格子裏，藏着紅寶石.」——你們猜，是甚麼果子?」和中想了一想說：「一定是石榴.」定國說：「是的.」接着，平華也說：「我也有一個謎語，請你們猜「紫檀牀，大紅被，黃姑娘，睡在被窠裏.」——這是甚麼果子?」

朋友吃了一些糖果，他说：“我有一个谜语：‘黄盒子，十八格，格子里，藏着红宝石。’——你们猜，是什么果子？”和中想了一想说：“一定是石榴”。定国说：“是的”。接着，平华也说：“我也有一个谜语请你们猜：‘紫檀床，大红被，黄姑娘，睡在被窝里’。——这是什么果子？”保民指着桌上的栗子说：“不是这个东西吗？”平华笑着说：“你真聪明，一猜就着。”

保民指著桌上的栗子說：『不是這個東西嗎？』平華笑著說：『你真聰明，一猜就著。』

小孩吃小棃

孔先生買了幾隻棃．有的很大，有的很小．孔先生叫孩子們每人拿一隻棃．孩子們都爭吵著，要揀大的棃．最小的弟弟，名叫孔融，年

第13课 小孩吃小梨

孔先生买了几只梨。有的很大，有的很小。孔先生叫孩子们每人拿一只梨。孩子们都争吵着，要拣大的梨。最小的弟弟，名叫孔融，年纪只有四岁。他却一声不响拣了一只最小的梨。孔先生很奇怪，问孔融说：“你怎么不拿大的梨？”孔融说：“我的年纪最小，应该吃最小的梨。”

紀只有四歲,他卻一聲不響,揀了一隻最小的梨.孔先生很奇怪,問孔融說:「你怎麼不拿大的梨?」孔融說:「我的年紀最小,應該吃最小的梨.」

種枇杷樹

振之在園裏鏟開泥土,種了三株枇杷樹.振之的弟弟很歡喜,說道:「好啊!明年夏天,一定有許多枇杷吃了.」振之說:「那有這樣容易.種一株枇杷樹,至少總要經過五六年,才會結果子.」振之的弟弟聽了,好像很失望.他說:「哥哥,請你只

第14课 种枇杷树

振之在园里铲开泥土，种了三株枇杷树。振之的弟弟很欢喜说道：“好啊！明年夏天一定有许多枇杷吃了”振之说：“哪有这样容易。种一株枇杷树至少总要经过五六年才会结果子。”振之的弟弟听了，好像很失望。他说：“哥哥请你只种一株吧。”振之说：“为什么？”弟弟说：“种一株既然要经过五六年才会结果子；那么种三株不是要经过十六七年才会结果子吗？我哪能等得这么长久呢？”

種一株罷。」振之說：「為甚麼？」弟弟說：「種一株既然要經過五六年才會結果子；那麼種三株，不是要經過十六七年才會結果子嗎？我那能等得這麼長久呢？」

工匠和水手的談話

工匠和水手，在海邊談話。工匠問水手說：「你的曾祖、祖父和父親，死在那裏？」水手說：「他們都死在海裏。」工匠說：「死在白茫茫的海裏，是最可怕的。我若做了你，決不願再在海上過危險的生活了。」水手說：「你的曾祖、祖父和父親，死在那裏的呢？」工匠說：「他們都死在家裏的牀上。」水手說：「死在黑漆漆的牀上，也很可怕。你怎麼每天晚上，仍舊要睡在家裏的牀上呢？」

第 15 课 工匠和水手的谈话

工匠和水手，在海边谈话。工匠问水手说："你的曾祖、祖父和父亲，死在哪里？"水手说："他们都死在海里。"工匠说："死在白茫茫的海里，是最可怕的。我若做了你，决不愿再在海上过危险的生活了。"水手说："你的曾祖、祖父和父亲死在那里的呢？"工匠说："他们都死在家里的床上。"水手说："死在黑漆漆的床上，也很可怕。你怎么每天晚上，仍旧要睡在家里的床上呢？"

麗丹代父點燈

陳二哥是管理燈塔的人.他和七歲的女兒麗丹,住在海島上.一天,陳二哥獨自划著小船出去.一會兒,風狂雨大,海面十分危險.他只好把小船停在海港裏.可是,天已傍晚,點燈的時間已到.他正在焦急的時候,忽見一綫燈光,從塔裏射到海面.

第16课 丽丹代父点灯

陈二哥是管理灯塔的人。他和七岁的女儿丽丹，住在海岛上。一天，陈二哥独自划着小船出去。一会儿，风狂雨大，海面十分危险。他只好把小船停在海港里。可是，天已傍晚，点灯的时间已到。他正在焦急的时候，忽见一线灯光，从塔里射到海面。你道这灯是谁点的呢？原来丽丹恐怕误了点灯的时间，来往的船，要碰着危险。他便缘着梯子，爬到塔顶；又搬了一张小榻，榻上放了几本书。他站在书上，才把灯点着了。

你道這燈是誰點的呢？原來麗丹恐怕誤了點燈的時間，來往的船，要碰着危險．他便緣着梯子，爬到塔頂；又搬了一張小櫈，櫈上放了幾本書．他站在書上，才把燈點着了．

海隄上的洞

傍晚，嚴達走到海隄，瞧見隄上有一個洞，海水從洞口流到隄內．他想：「這個洞，不久要被海水衝大．如果不把他塞住，海邊的居民，難保不受着水災．」嚴達想罷，就坐在隄旁，一面用手掌抵住洞口，一

第 17 课 海堤上的洞

傍晚，严达走到海堤，瞧见堤上有一个洞，海水从洞口流到堤内。他想：“这个洞，不久要被海水冲大。如果不把他塞住，海边的居民，难保不受着水灾。”严达想罢，就坐在堤旁，一面用手掌抵住洞口，一面喊道：“快来呀！堤上有了洞了。”但是没有一个人听得他的叫喊。

面喊道:「快來呀!隄上有了洞了.但是,沒有一個人聽得他的叫喊.

這時候,天色已黑.嚴達肚子很餓,身上又冷,十分憂急.他想:「我要防止水災,只得受些風寒,挨到天亮了.」明天清早,有幾個工人走過,嚴達急忙告訴他們.工人們便把那洞口塞住.海邊的

这时候，天色已黑。严达肚子很饿，身上又冷，十分忧急。他想：“我要防止水灾，只得受些风寒，挨到天亮了。”明天清早，有几个工人走过，严达急忙告诉他们。工人们便把那洞口塞住，海边的居民，晓得了这件事，都感谢这个勇敢的孩子——严达。

居民，曉得了這件事，都感謝這個勇敢的孩子——嚴達．

孫中山住在海邊

孫中山先生小時候，住在海邊的一個村莊上，海盜常常來搶劫東西．

一天，中山先生看見許多海盜，又到村莊上搶劫．海盜把一家的門打破，搶去許多箱子，害得那家的人，大哭小喊．

中山先生想：為甚麼那個人家，給強盜欺侮，中國

第 18 课　孙中山住在海边

孙中山先生小时候，住在海边的一个村庄上，海盗常常来抢劫东西。一天中山先生看见许多海盗，又到村庄上抢劫。海盗把一家的门打破，抢去许多箱子，害得那家的人大哭小喊。中山先生想："为什么那个人家，给强盗欺侮，中国没有法律保护他们？"因此中山有改造中国的心。到长大时，把清朝改建中华民国。

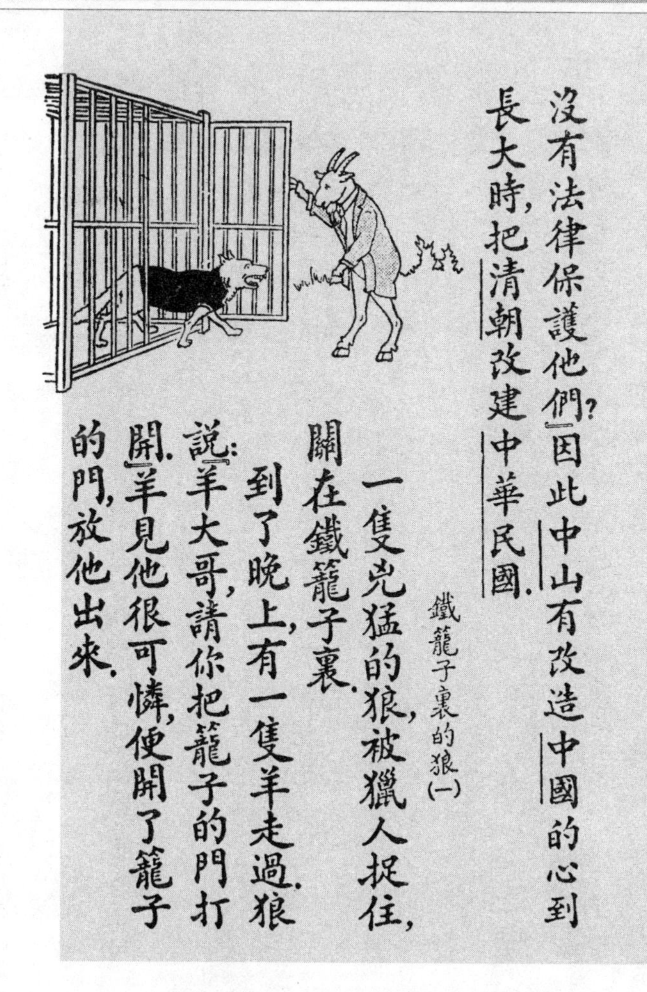

沒有法律保護他們？因此中山有改造中國的心到長大時，把清朝改建中華民國.

鐵籠子裏的狼(一)

一隻兇猛的狼，被獵人捉住，關在鐵籠子裏.

到了晚上，有一隻羊走過.狼說：羊大哥，請你把籠子的門打開.羊見他很可憐，便開了籠子的門，放他出來.

第 19 课 铁笼子里的狼

一只凶猛的狼，被猎人捉住，关在铁笼子里。到了晚上，有一只羊走过。狼说："羊大哥，请你把笼子的门打开。"羊见他很可怜，便开了笼子的门，放他出来。狼跳出了笼子，便扑住羊道："我饿了好几天了，你索性做个好事，让我吃掉了罢。"羊很懊悔，眼泪汪汪的说道："狼先生，我放了你，你反要吃我。我和你去请别的朋友评评理。"狼说："好的！但是只能限定你请三个朋友。"

狼跳出了籠子,便撲住羊道:「我餓了好幾天了,你索性做個好事,讓我吃掉了罷.」

羊很懊悔,眼淚汪汪的説道:「狼先生,我放了你,你反要吃我.我和你去請別的朋友評評理.」

狼説:「好的!但是只能限定你請三個朋友.」

鐵籠子裏的狼(二)

羊和狼一路走去.第一次,遇著一隻狐狸.羊把經過的情形,詳細告訴他,請他評判.狐狸很怕狼,不敢再講公理,便説:「你長得這樣肥壯,應該給狼做點心.」

羊和狼一路走去。第一次，遇着一只狐狸。羊把经过的情形，详细告诉他，请他评判。狐狸很怕狼，不敢再讲公理，便说：“你长得这样肥壮，应该给狼做点心。”第二次，遇着一条大蛇。大蛇也很怕狼，不敢说狼不是，便对羊说：“你放了他出来，应该给他做晚餐。”第三次，遇着一只猴子。猴子却说：“这事我不大明白，你们把刚才

第二次，遇著一條大蛇．大蛇也很怕狼，不敢說狼不是，便對羊說：「你放了他出來，應該給他做晚餐．」

第三次，遇著一隻猴子．猴子卻說：「這事我不大明白，你們把剛才的情形，再做一次給我看，讓我好評判．」狼說：「可以！」便一同走到原來的地方．狼進了籠子，猴子趁勢把籠子的門關閉．狼走不出來，慚愧得沒話可說．

的情形再做一次给我看，让我好评判。”狼说：“可以！”便一同走到原来的地方，狼进了笼子，猴子趁势把笼子的门关闭。狼走不出来，惭愧得没话可说。

李寄斬蟒蛇

從前,東越地方的山洞裏,有一條蟒蛇,常常出來傷害人命.地方上的人,當他是蛇神,每年八月裏,送一個女孩給他吃.

有一年,地方上的人,要把女孩李寄送給蟒蛇吃.李寄想鏟除毒害,打破迷信.他便帶了幾個餈飯糰,一口寶劍,和一隻獵狗,走到山洞口,把餈飯糰放在地上.蟒蛇嗅着了香

第20课 李寄斩蟒蛇

从前，东越地方的山洞里，有一条蟒蛇，常常出来伤害人命。地方上的人，当他是蛇神，每年八月里，送一个女孩给他吃。有一年，地方上的人，要把女孩李寄送给蟒蛇吃。李寄想铲除毒害，打破迷信。他便带了几个糍饭团，一口宝剑和一只猎狗，走到山洞口，把糍饭团放在地上。蟒蛇嗅着了香味便伸出头来察看。李寄拔出宝剑斩中蟒蛇的头颈；猎狗看见了蟒蛇就把他咬死。

味便伸出頭來察看.李寄拔出寶劍斬中蟒蛇的頭頸;獵狗看見了蟒蛇,就把他咬死.

飛奴

張九齡家裏,養着許多鴿子.九齡去看朋友的時候,常挑選一隻鴿子,放在籠裏,帶了同去.回家的時候,仍舊將鴿子帶回來.鴿子的記憶力很好,去了一次,便認識道路,會替主人寄信.

第21课 飞奴

张九龄家里，养着许多鸽子。九龄去看朋友的时候，常挑选一只鸽子，放在笼里，带了同去。回家的时候，仍旧将鸽子带回来。鸽子的记忆力很好，去了一次，便认识道路，会替主人寄信。九龄想寄信的时候，把封好的信，系在鸽子的脚上。鸽子明白主人的意思，便飞到从前去过的朋友家里。朋友写了回信，也系在鸽子的脚上，放他回家。所以九龄替他的鸽子，题了一个名字，叫做“飞奴”。

九齡想寄信的時候,把封好的信,繫在鴿子的脚上.鴿子明白主人的意思,便飛到從前去過的朋友家裏.朋友寫了回信,也繫在鴿子的脚上,放他回家.所以九齡替他的鴿子,題了一個名字,叫做「飛奴」.

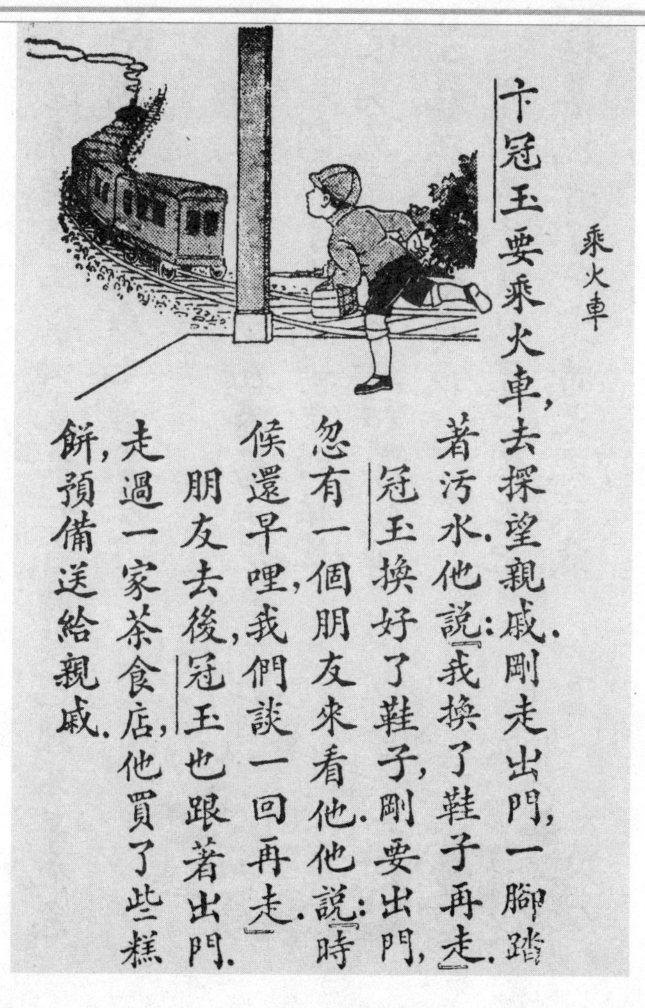
乘火車

卞冠玉要乘火車,去探望親戚.剛走出門,一脚踏著污水.他說:「我換了鞋子再走.」冠玉換好了鞋子,剛要出門,忽有一個朋友來看他.他說:「時候還早哩,我們談一回再走.」朋友去後,冠玉也跟著出門.走過一家茶食店,他買了些糕餅,預備送給親戚.

第22课 乘火车

卞冠玉要乘火车，去探望亲戚。刚走出门，一脚踏着污水。他说：“我换了鞋子再走。”冠玉换好了鞋子，刚要出门，忽有一个朋友来看他。他说：“时候还早哩，我们谈一回再走。”朋友去后，冠玉也跟着出门。走过一家茶食店，他买了些糕饼，预备送给亲戚。这时候，冠玉摸出表来一看，时候已经不早。他急忙跑到车站，火车已经开去了。

這時候，冠玉摸出表來一看，時候已經不早．他急忙跑到車站，火車已經開去了．

勇敢的孩子

冬天，許多孩子在曠場上玩耍．一個孩子看見場上的枯草很多，說道：「我們把這枯草燒掉了罷．」孩子們都贊成．

那個孩子，就取了一個火，把枯草燒著了．一霎時，火光熊熊，

第 23 课 勇敢的孩子

冬天，许多孩子在广场上玩耍。一个孩子看见场上的枯草很多，说道：“我们把这枯草烧掉了吧。”孩子们都赞成。那个孩子就取了一个火，把枯草烧着了。一刹时，火光熊熊，枯草烧得吱吱的响。孩子们在旁边跳着笑着，十分得意。不料一个最小的孩子，被石头一绊，跌在火里。他的衣服也着了火。孩子们见闯了祸，都吓得逃走。这时

枯草燒得吱吱的響.孩子們在旁邊跳著笑著,十分得意.不料一個最小的孩子,被石頭一絆,跌在火裏.他的衣服也著了火.孩子們見闖了禍,都嚇得逃走.

這時候,幸虧有一個勇敢的孩子走過.他瞧見了,冒著險跳到火裏,抱了那個小孩子,從火裏滾出來.兩個孩子,卻都沒有被火灼傷.

這個勇敢的孩子,就是陳英士先生.那時,他的年紀只有八歲.

審山鼠(一)

候，幸亏有一个勇敢的孩子走过。他瞧见了，冒着险跳到火里，抱了那个小孩子，从火里滚出来。两个孩子，却都没有被火灼伤。这个勇敢的孩子，就是陈英士先生。那时，他的年纪只有八岁。

人物：奇安．丹西．惠思干．

地點：讀書室．

開幕時：奇安和丹西看着籠子裏的山鼠．惠思干坐在椅上看書．

奇安　這隻山鼠，常到我家的園裏來吃菜，今天才被我捉住了．丹西，我們把這小東西殺掉了罷！

丹西　哥哥，你瞧，小山鼠抖個不住，很是可憐．讓我把他放在樹林裏罷！他離開了這裏，不會再來吃菜了．

第24课　审山鼠

人物：奇安、丹西、惠思干。地点：读书室。开幕时：奇安和丹西看着笼子里的山鼠。惠思干坐在椅上看书。奇安：这只山鼠，常到我家的园里来吃菜，今天才被我捉住了。丹西，我们把这小东西杀掉了罢！丹西：哥哥，你瞧，小山鼠抖个不住，很是可怜，让我把他放在树林里罢！他离开了这里，不会再来吃菜了。奇安：不行！我立刻要杀死他。丹西：我们去请父亲审判，好不好？奇安：好！惠思干：

奇安　不行！我立刻要殺死他。
丹西　我們去請父親審判，好不好？
奇安　好！
惠思干　（放下手裏的書）很好！這裏暫作法庭，我做法官。奇安做原告的律師，丹西做被告的律師，各人先說明理由。最後，我來判決。（幕下）

審山鼠（二）

人物：同前幕。
地點：同前幕。

(放下手里的书)很好！这里暂作法庭，我做法官。奇广做原告的律师，丹西做被告的律师，各人先说明理由。最后,我来判决。(幕下)

人物：同前幕。地点：同前幕。开幕时：惠思千坐在中央。奇安和丹西坐在两旁。惠思干：现在开庭了，先请原告律师陈述。奇安：山鼠常到原告的园里偷吃蔬菜。原告费了许多工夫，才把他捉住。所以应该立刻把他杀死，剥了他的皮，赔偿原告的损失。倘使放了他，不但原告

開幕時：惠思干坐在中央．奇安和丹西坐在兩旁．

惠思干　現在開庭了，先請原告律師陳述．

奇安　山鼠常到原告的園裏，偷吃蔬菜．原告費了許多工夫，才把他捉住．所以應該立刻把他殺死，剝了他的皮，賠償原告的損失．倘使放了他，不但原告的損失，沒有賠償，並且還要去害別人家哩！

惠思干　丹西，你是代表被告的，請你辯護．

丹西　山鼠，是天生的動物，和我們一樣．我們所

的损失，没有赔偿，并且还要去害别人家哩！惠思干：丹西，你是代表被告的，请你辩护。丹西：山鼠，是天生的动物，和我们一样。我们所有的东西，他也应该享受一些。倘使他不吃东西，怎能生活呢？所以我们不能为了私利，把他杀害。惠思干：奇安，我想丹西的话很对，山鼠很可怜。还是把他放走了吧！（幕下）

有的東西，他也應該享受一些．倘使他不吃東西，怎能生活呢？所以我們不能為了私利，把他殺害．

惠思干 奇安，我想丹西的話很對，山鼠很可憐，還是把他放走了罷！

（幕下）

正直的法官

吳朋侵佔了朱二的一塊園地．朱二沒有方法爭回來，便到法院去起訴．吳朋一面買通了幾個鄰人，叫他們證明園地是吳朋的；一面送五百元給法官，請法官幫他．

第25课 正直的法官

吴朋侵占了朱二的一块园地，朱二没有方法争回来，便到法院去起诉。吴朋一面买通了几个邻人，叫他们证明园地是吴朋的；一面送五百元给法官，请法官帮他。开庭的一天，法官问吴朋道：“你的证人呢？”几个被吴朋买通的邻人，便出来证明。法官又问朱二道：“你有

開庭的一天，法官問吳朋道：「你的證人呢？」幾個被吳朋買通的鄰人，便出來證明。法官又問朱二道：「你有沒有證人？」朱二道：「沒有。」法官便拿出吳朋送給他的五百元，說道：「這個可以替你做反證。如果吳朋沒有侵佔你的園地，何必私下送錢給我呢？」說罷，就判決園地歸還朱二；那五百元，捐給慈善機關。

松鼠的冬糧

没有证人？”朱二道：“没有。”法官便拿出吴朋送给他的五百元，说道：“这个可以替你做反证。如果吴朋没有侵占你的园地，何必私下送钱给我呢？”说罢，就判决园地归还朱二，那五百元捐给慈善机关。

冬天早上，猴子走到山裏；看見一棵栗子樹的底下，泥土很鬆.他用腳爪挖了一下，發見幾顆栗子，就拾了起來.

樹上的松鼠，見了很着急，嚷著說：「猴先生，這些栗子，是我藏著的糧食.給你拿去了，叫我怎能過冬呢？」

猴子擡起頭來，對松鼠看了一會，笑著說：「松鼠小姐，這些栗子，原來是你儲蓄的冬糧，我還了你罷.」說

第 26 课 松鼠的冬粮

冬天早上，猴子走到山里，看见一棵栗子树的底下，泥土很松。他用脚爪挖了一下，发见几颗栗子，就拾了起来。树上的松鼠，见了很着急，嚷着说：“猴先生，这些栗子，是我藏着的粮食，给你拿去了，叫我怎能过冬呢？”猴子抬头来，对松鼠看了一会，笑着说：“松鼠小姐，这些栗子，原来是你储存的冬粮，我还了你罢。”说着，他把栗子仍旧埋在泥里。

着，他把栗子仍舊埋在泥裏.

常綠樹

冬天，一隻小鳥，要找一個安穩的居住地方.他飛到桑樹上，向桑樹借一條樹枝.桑樹不睬他.他跳到榆樹上，求榆樹收留到春天.榆樹不理他.松樹看見小鳥很可憐，便說:「你快到這裏來，我有地方給你住.」松樹右邊的柏樹也說:「你快到這裏來，我能夠替你擋住北風.」松樹左邊的杉樹也說:「你快到這裏來，我能夠替你遮住霜雪.」

第27课 常绿树

冬天，一只小鸟，要找一个安稳的居住地方。他飞到桑树上，向桑树借一条树枝，桑树不睬他。他跳到榆树上，求榆树收留到春天，榆树不理他。松树看见小鸟很可怜，便说："你快到这里来，我有地方给你住。"松树右边的柏树也说："你快到这里来，我能够替你挡住北风"。松树左边的杉树也说："你快到这里来，我能够替你遮住霜雪。"北风听见了，说道："松树、柏树、杉树的心肠很好，我不应该把他们的叶子吹掉，让他们做常绿树吧。"

北風聽見了，説道：「松樹、柏樹、杉樹的心腸很好，我不應該把他們的葉子吹掉，讓他們做常綠樹罷。」

這樣冷的清早

小鳥飛到薔薇棚上，對薔薇棚説道：

「這樣冷的清早，你為甚麼不戴頂呢帽？」

薔薇棚説道：「我的帽子被濃霜打掉了，

要等雪花飛來，戴頂白的絨帽。」

* * * * *

小鳥飛到海棠樹上，對海棠樹説道：

第 28 课 这样冷的清早

小鸟飞到蔷薇棚上，对蔷薇棚说道："这样冷的清早，你为什么不戴顶呢帽？"蔷薇棚说道："我的帽子被浓霜打掉了，要等雪花飞来，戴顶白的绒帽。"小鸟飞到海棠树上，对海棠树说道："这样冷的清早，你为什么不穿件棉袍？"海棠树说道："我的袍子被北风剥去了，要等春天到来，穿件绿的新袍。"

「這樣冷的清早，你為甚麼不穿件棉袍？」
海棠樹說道：「我的袍子被北風剝去了，
要等春天到來，穿件綠的新袍。」

黃香

漢朝時候，江夏地方，有一個有學問的人，名叫黃香。他在小時，就知道孝順父母。
當黃香九歲的時候，他的母親死了。因為家裏很

第29课 黄香

汉朝时候，江夏地方，有一个有学问的人，名叫黄香。他在小时，就知道孝顺父母。当黄香九岁的时候，他的母亲死了。因为家里很穷，他的父亲，没有力量再娶后妻。黄香知道父亲心里痛苦，他一面专心读书，一面用心侍奉父亲，使父亲快乐。夏日天热，他拿了扇子，替父亲扇凉床上的枕席；冬日天寒，他先睡在父亲的被窝里，使被褥温暖。那时候的人，有两句称赞黄香的话道：“天下无双，江夏黄童！”

窮，他的父親，沒有力量再娶後妻.黃香知道父親心裏痛苦，他一面專心讀書，一面用心事奉父親，使父親快樂.夏日天熱，他拿了扇子，替父親搧涼牀上的枕席；冬日天寒，他先睡在父親的被窩裏，使被褥溫暖.

那時候的人，有兩句稱贊黃香的話道：『天下無雙，江夏黃童！』

上山

用力呀！用力呀！大家跑上高山。
石級險，腳步慢。荆棘多，手難攀。
還要用力，用力向前！
快樂呀！快樂呀！大家已到山巔。
樹蒼翠，草芊芊。看飛鳥，聽流泉。
真是快樂，快樂無限！

第30课 上山

用力呀！用力呀！大家跑上高山。石级险，脚步慢。荆棘多，手难攀。还要用力，用力向前！快乐呀！快乐呀！大家已到山巅。树苍翠，草芊芊。看飞鸟，听流泉，真是快乐，快乐无限！

日記

二月二十六日，星期日，晴．早飯後，仁忠和我到城外的山上去玩．我們從山腳，踏著石級，慢慢向上跑．到了山腰，腿子很酸，就坐在石上休息．我向四面瞧瞧，有蒼翠的森林，鮮豔的野花，奇怪的巖石，流動的澗水，景緻很好．仁忠說：「到了山頂，景緻更好哩．」我就用力再向上跑．仁忠唱著上山歌，我隨口和著．不多時，已跑到山頂．遠望城內，屋子像雞棚，行人像螞蟻．仁忠指著有鐘樓的一所

第31课 日记

二月二十六日，星期日，晴。早饭后，仁忠和我到城外的山上去玩。我们从山脚踏着石级，慢慢向上跑，到了山腰，腿子很酸，就坐在石上休息。我向四面瞧瞧，有苍翠的森林，鲜艳的野花，奇怪的岩石，流动的涧水，景致很好。仁忠说："到了山顶，景致更好哩。"我就用力再向上跑。仁忠唱着上山歌，我随口和着。不多时，已跑到山顶。远望城内，屋子像鸡棚，行人像蚂蚁，仁忠指着有钟楼的一所屋子说："这是我们的学校。"我们在山上玩了好久，才回家吃午饭。午后，我把审山鼠的故事，讲给妹妹听。妹妹很快乐。晚上，温了一点钟课，就上床睡眠。

屋子說「這是我們的學校.」我們在山上玩了好久,才回家吃午飯.

午後,我把審山鼠的故事,講給妹妹聽.妹妹很快樂.

晚上,溫了一點鐘課,就上牀睡眠.

不識字的獵人

一個不識字的獵人,名叫曹榮.一天,他獨自到山裏去打獵,找不到甚麼野獸;但在山中趕了許多路,很是疲倦.他遠遠瞧見一座古廟,就想進去休息一

第32课 不识字的猎人

一个不识字的猎人，名叫曹荣。一天他独自到山里去打猎，找不到什么野兽。但在山中赶了许多路，很是疲倦。他远远瞧见一座古庙，就想进去休息一下。在古庙的旁边，别的猎人，掘好一个捉狼的深坑。墙上写着“下有深坑，行人止步”八个大字。当曹荣走到庙旁的时候，虽然望见这几个字，可是不明白什么意思，也就走了过去。哪知触着机关，跌在坑里。幸亏不久有一个樵夫走过，听得坑里有人叫喊，才把曹荣救了起来。

下有深坑行人止步

下.在古廟的旁邊,別的獵人,掘好一個捉狼的深坑.牆上寫著「下有深坑,行人止步」八個大字.當曹榮走到廟旁的時候,雖然望見這幾個字,可是不明白甚麼意思,也就走了過去.那知觸著機關,跌在坑裏.幸虧不久有一個樵夫走過,聽得坑裏有人叫喊,才把曹榮救了起來.

鐵杵磨成針

唐朝時候，有一個詩人，名叫李白.一天，李白走過一家門口，聽得沙沙的聲音，從門裏傳到他的耳邊.他很奇怪，就進去探望，見一個老婦人，拿了一根很粗的鐵杵，在石砧上不停的磨.李白問：「老婆婆，你為甚麼磨這鐵杵？」老婦人擡起頭來，看見是一位不相識的客人，就說：「先

第 33 课 铁杵磨成针

唐朝时候，有一个诗人，名叫李白。一天，李白走过一家门口，听得沙沙的声音，从门里传到他的耳边。他很奇怪，就进去探望，见一个老妇人，拿了一根很粗的铁杵，在石砧上不停的磨。李白问："老婆婆，你为什么磨这铁杵？"老妇人抬起头来，看见是一位不相识的客人，就说："先生，我是预备把他磨成一只针啊！"李白很怀

生，我是預備把他磨成一隻針啊！」李白很懷疑，説：「你手裏的鐵杵這樣粗，要磨成細的針，恐怕不容易罷？」老婦人摇頭，説：「凡事只要有恆心，沒有不成功的．我若一天一天不斷的磨，怎見得將來不成針呢？」

卞莊子刺虎

山路小，山頂高，山谷多虎豹．卞莊子，和朋友，跑到山谷口．看見兩隻白額虎，搶吃一條老黄牛．

疑，说：“你手里的铁杵这样粗，要磨成细的针，恐怕不容易吧？”老妇人摇头，说：“凡事只要有恒心，没有不成功的。我若一天一天不断的磨，怎见得将来不成针呢？”

卞莊子，氣昂昂，雄赳赳，一口寶劍提在手，往前想刺虎咽喉．那朋友，忙開口：『你的力氣雖然大，一人恐難敵兩獸．我想兩虎吃一牛，到後必定要爭鬭，非到死傷不肯休．那時候，你動手，傷虎要逃不能走，簡直易如殺隻狗．』

第34课 卞庄子刺虎

山路小，山顶高，山谷多虎豹。卞庄子，和朋友，跑到山谷口。看见两只白额虎，抢吃一条老黄牛。卞庄子，气昂昂，雄赳赳，一口宝剑提在手，往前想刺虎咽喉。那朋友，忙开口：“你的力气虽然大，一人恐难敌两兽。我想两虎吃一牛，到后必定要争斗，非到死伤不肯休。那时候，你动手，伤虎要逃不能走，简直易如杀只狗。”卞庄子，点点头。“你的说话有理由，我且站着等时候。”不多时，两虎果然打

卞莊子，點點頭.「你的說話有理由，我且站着等時候.」

不多時，兩虎果然打一場，一隻死，一隻傷.

卞莊子，不聲響，不慌張，輕輕走到傷虎旁，一劍刺在肚子上. 傷虎無力能抵抗，大叫一聲就死亡.

蔡順感動兵士

漢朝時候——距今約一千九百餘年，——安城地方，有一個孩子，名叫蔡順. 服事母親，十分孝順.

一场，一只死，一只伤。卞庄子，不声响，不慌张，轻轻走到伤虎旁，一剑刺在肚子上。伤虎无力能抵抗，大叫一声就死亡。

那時候，王莽造反，四方大亂．並且田裏的收成不好，三餐粥飯，也不够供給．一天，蔡順拿了兩隻籃，到野外去拾桑子，做充飢的糧食．他把黑的桑子，放在一隻籃裏；紅的桑子，放在另外一隻籃裏．

恰巧有幾個王莽部下的兵士走過，看見了，便問：「你把桑子放在兩隻籃裏，是甚麼緣故？」蔡順道：『黑的桑子甜，請母親吃的；紅的桑子酸，是我自己吃的．』兵

第35课 蔡顺感动兵士

汉朝时候——距今约一千九百余年，——安城地方，有一个孩子，名叫蔡顺。服事母亲，十分孝顺。那时候，王莽造反，四方大乱。并且田里的收成不好，三餐粥饭，也不够供给。一天，蔡顺拿了两只篮，到野外去拾桑子，做充饥的粮食。他把黑的桑子放在一只篮里，红的桑子放在另外一只篮里。恰巧有几个王莽部下的兵士走过，看见了，便问：“你把桑子放在两只篮里，是什么缘故？”蔡顺道：“黑的桑子甜，请母亲吃的；红的桑子酸，是我自已吃的。”兵士听了这话，非常感动，便送他三斗白米，一只牛腿。

士聽了這話,非常感動,便送他三斗白米,一隻牛腿.

壽彭給若愚的信

若愚吾兄:

三月十二日,是孫中山先生的忌辰,我们校裏,開了一個紀念會.

開會的時候,我講了一段故事,題目叫做孫中山先生的特別嗜好.現在寫在下面,請你指正!

「中山先生到過日本,有一次,一個日本朋友问他:「你有甚麼嗜好?」中山說:「讀書是我的嗜好.我一天不

第36课 寿彭给若愚的信

若愚吾兄：三月十二日，是孙中山先生的忌辰，我们校里，开一个纪念会。开会的时候，我讲了一段故事，题目叫做孙中山先生的特别嗜好。现在写在下面，请你指正！“中山先生到过日本，有一次，一个日本朋友问他：‘你有什么嗜好？’中山说：‘读书是我的嗜好。我一天不读书，便觉得不舒服。’后来，又有一个人问他：‘你读过多少

讀書，便覺得不舒服。後來，又有一個人问他：「你讀過多少書？」中山說：「那卻记不清楚。不過，我每年購書的費，至少要幾千元。」因為中山先生有這種特別的嗜好，所以他的思想高超，能够發明三民主義。」

我想你是喜歡演講的，那天你一定講過很好的故事，請你也寫給我看看，肯嗎？

祝你進步！

弟王壽彭 三月十四日

若愚覆壽彭的信

壽彭吾兄：

书？’中山说：‘那却记不清楚。不过，我每年购书的费，至少要几千元。’因为中山先生有这种特别的嗜好，所以他的思想高超，能够发明三民主义。”我想你是喜欢演讲的，那天你一定讲过很好的故事，请你也写给我看看，肯吗？祝你进步！弟王寿彭，三月十四日。

你的信收到了.你的故事,講得很好.
我在中山忌辰的那天,並沒有演講.不過編學校
新聞的先生,曾經徵求關於忠孝仁愛信義和平的
故事.因為中山先生說過,這些都是中國的固有道
德,所以出一次「固有道德號」作為紀念.
和平的故事,是我做的.現在寫在下面,請你指教!
「公輸般替楚國造了一種雲梯,預備去打宋國.墨
子是宋國人,他在魯國聽到這個消息,就走了十日
十夜,到楚國去見公輸般,說:「有一個人欺侮我,請你

第37课 若愚复寿彭的信

寿彭吾兄：你的信收到了。你的故事，讲得很好。我在中山忌辰的那天，并没有演讲。不过编学校新闻的先生，曾经征求关于忠孝、仁爱、信义、和平的故事。因为中山先生说过，这些都是中国的固有道德，所以出了一次“固有道德号”作为纪念。和平的故事，我是做的。现在写在下面，请你指教！“公输般替楚国造了一种云梯，预备去打宋国。墨子是宋国人，他在鲁国听到这个消息，就走了十日十夜，到楚国去见公输般，说：‘有一个人欺侮我，请你帮助我去杀他。’公输般说：‘叫我杀人，那是不应该的。’墨子说：‘那么你造云梯去杀宋国的百姓，难道是应该的吗？’公输般就没话可说。”祝你快乐！弟吴若愚，三月十六日。

幫助我去殺他。」公輸般說：「叫我殺人，那是不應該的。」墨子說：「那麼你造雲梯去殺宋國的百姓，難道是應該的嗎？」公輸般就沒话可說。

祝你快樂！

弟吳若愚 三月十六日

四種筆

穿竹衣，戴竹帽，

脫了帽子一蓬毛，繪圖、習字不可少。

尖嘴巴，長身體，

外面穿件木頭衣，一條肚腸通到底。

第 38 课 四种笔

穿竹衣，戴竹帽，脱了帽子一蓬毛，绘图、习字不可少。尖嘴巴，长身体，外面穿件木头衣，一条肚肠通到底。圆木脚，尖铁头，喝饱瓶中颜色水，常在纸上横行走。身体胖，形状圆，常写白字给你看，越写身体越缩短。

圓木腳，尖鐵頭，
喝飽瓶中顏色水，常在紙上橫行走。
身體胖，形狀圓，
常寫白字給你看，越寫身體越縮短。

買昨天的鉛筆

星期日，余守仁到市上去，買了一打顏色鉛筆。
姐姐看見了，問道：『這種鉛筆，每打多少錢？』
余守仁道：『據商店裏的夥計說，這種鉛筆，昨天，每
打只賣大洋五角；今天漲價了，每打要賣大洋五角

第39课 买昨天的铅笔

星期日，余守仁到市上去，买了一打颜色铅笔。姐姐看见了，问道：“这种铅笔，每打多少钱？”余守仁道：“据商店里的伙计说，这种铅笔，昨天，每打只卖大洋五角；今天涨价了，每打要卖大洋五角五分。”弟弟听见了，说道：“那么，你只要买昨天的铅笔，不要买今天的铅笔，不是可以少付五分钱吗？”

五分。」

弟弟聽見了，說道：「那麽，你只要買昨天的鉛筆，不要買今天的鉛筆，不是可以少付五分錢嗎？」

誰的本領大

風對太陽說：「人家常說你的功勞大，我很不佩服。今天，我們來比賽一下，看究竟誰的本領大。」

太陽看見有一個孩子走過，便說：「好的，誰能使那個孩子脱去外衣，就算誰勝。」

風笑道：「我能推倒房屋，拔去樹木，難道不能吹掉

第40课 谁的本领大

风对太阳说："人家常说你的功劳大，我很不佩服。今天，我们来比赛一下，看究竟谁的本领大。"太阳看见有一个孩子走过，便说："好的，谁能使那个孩子脱去外衣，就算谁胜。"风笑道："我能推倒房屋，拔去树木，难道不能吹掉孩子身上的一件外衣吗？"说罢，哗喇喇，哗喇喇，就使劲向孩子身上吹。那孩子打了一个寒噤，把外衣裹得很紧。

孩子身上的一件外衣
嗎?」說罷,嗶喇喇,嗶喇喇,
就使勁向孩子身上吹.
那孩子打了一個寒噤,
把外衣裹得很緊.風越
吹得急,他把外衣越裹得緊.
風沒有方法使孩子脫去外衣,便叫太陽試驗.太
陽放出強烈的光,射在孩子身上.不久孩子覺得很
熱,便把外衣脫去風很慚愧說道「太陽公公,你的
本領真大,怪不得人家常稱讚你」

风越吹得急，他把外衣越裹得紧。风没有方法使孩子脱去外衣，便叫太阳试验。太阳放出强烈的光，射在孩子身上。不久孩子觉得很热，便把外衣脱去。风很惭愧，说道：“太阳公公，你的本领真大，怪不得人家常称赞你。”

鵓鴣說些甚麼話

「咕咕咕!」鵓鴣在樹上叫.父親問:「鵓鴣說些甚麼話?」弟弟說:「下了幾天雨,打溼了他的窠,所以他說『溼不過,溼不過.』」父親說:「雨打溼了窠,只要自己修理,空喊有甚麼益處呢!」

妹妹說:「老鷹要奪他的窠,所以他說『莫奪我的窠,莫奪我的窠.』」父親說:「老鷹來奪窠,只要努力抵抗,空喊有甚麼益處呢!」

哥哥說:「鵓鴣是很勤謹的鳥,他勸我們愛惜光陰,所以他說『不要空過,快點去做.』」父親點點頭道:「你說得很有道理.」

第41课 鹁鸪说些什么话

“咕咕咕！”鹁鸪在树上叫。父亲问：“鹁鸪说些什么话？”弟弟说：“下了几天雨，打湿了他的窠，所以他说‘湿不过，湿不过。’”父亲说：“雨打湿了窠，只要自己修理，空喊有什么益处呢！”妹妹说：“老鹰要夺他的窠，所以他说‘莫夺我的窠，莫夺我的窠。’”父亲说：“老鹰来夺窠，只要努力抵抗，空喊有什么益处呢！”哥哥说：“鹁鸪是很勤谨的鸟，他劝我们爱惜光阴，所以他说‘不要空过，快点去做。’”父亲点点头道：“你说得很有道理。”

小青蟲(一)

小青蟲坐在桑樹的葉子上，看見一隻蜜蜂飛過．他喊道：『活潑的蜜蜂先生，請你和我談談．』蜜蜂說：『你這醜陋的東西，誰願和你談話！』

小青蟲聽了蜜蜂的話，一聲不響，低頭向樹下看．瞥見一朵鮮紅的玫瑰花，對着他笑．小青蟲說：『美麗的玫瑰姑娘，請你和我談談．』玫瑰花說：

第42课 小青虫

小青虫坐在桑树的叶子上，看见一只蜜蜂飞过。他喊道：“活泼的蜜蜂先生，请你和我谈谈。”蜜蜂说：“你这丑陋的东西，谁愿和你谈话！”小青虫听了蜜蜂的话，一声不响，低头向树下看。瞥见一朵鲜红的玫瑰花，对着他笑。小青虫说：“美丽的玫瑰姑娘，请你和我谈谈。”玫瑰花说：“你这丑陋的东西，常常吃我的叶子，谁愿和你谈话！”小

「你這醜陋的東西，常常吃我的葉子，誰願和你談話！」
小青蟲聽了玫瑰花的話，十分煩悶，便伏在葉上，不吃，不動，也不招同伴談話。

小青蟲(二)

隔了十幾天，小青蟲的身體變了：頭上長着一對靈活的觸角，背上生出兩對彩色的翅膀，嘴和腳都變得很纖細。他鼓動了翅膀，飛上飛下，身體很輕便。
蜜蜂在花心裏瞧見了，忙招呼道：「活潑的仙姑呀！快來快來，我把甜的蜜，送給你。

青虫听了玫瑰花的话，十分烦闷，便伏在叶上，不吃，不动，也不招同伴谈话。隔了十几天，小青虫的身体变了：头上长着一对灵活的触角，背上生出两对彩色的翅膀，嘴和脚都变得很纤细。他鼓动了翅膀，飞上飞下，身体很轻便。蜜蜂，在花心里瞧见了，忙招呼道：“活泼的仙姑呀！快来快来，我把甜的蜜送给你。”玫瑰花在枝头瞥见了，也招

玫瑰花在枝頭瞥見了，也招呼道：「美麗的女神呀！快來快來，我把香的花，獻給你。」

桑樹的葉子説道：「蠢東西，他原是醜陋的小青蟲，現在變成了蝴蝶，你們就要恭維他了。」

郊會

西山下的風景很好：有八角的亭子，古怪的巖石，還有紅的桃花，綠的楊柳。一個春天的下午，我們在

呼道：“美丽的女神呀！快来快来，我把香的花，献给你。”桑树的叶子说道：“蠢东西，他原是丑陋的小青虫，现在变成了蝴蝶，你们就要恭维他了。

那裏舉行「郊會」.
我們把大樹當作篷帳，細草當作地毯，圍坐在一起，分食水果、點心. 食罷，有的講故事，有的猜謎語，有的唱歌，有的跳舞. 停了一會，我們散開去，有的到山頂去望遠景，有的到山坡去採標本，有的在平地上賽跑，有的在土墩上拍毬：大家很快樂.
直到夕陽下山，炊煙四起的時候，遊興盡了，大家才攜手回去.

池邊

第43课 郊会

西山下的风景很好: 有八角的亭子，古怪的岩石，还有红的桃花，绿的杨柳。一个春天的下午，我们在那里举行“郊会。”我们把大树当做篷帐，细草当作地毯，围坐在一起，分食水果、点心。食罢，有的讲故事，有的猜谜语，有的唱歌，有的跳舞。停了一会，我们散开去，有的到山顶去望远景，有的到山坡去采标本，有的在平地上赛跑，有的在土墩上拍球，大家很快乐。直到夕阳下山，炊烟四起的时候，游兴尽了，大家才携手回去。

池邊有幾株楊柳.
一天早晨, 黃鶯停在樹枝頭,
唱着歌兒不住口.
我走到樹下靜聽,
髣髴舞臺上,
正在合奏音樂的時候.
好聽呀! 我那肯離開了他就走.

* * * * * *

池邊有幾株楊柳.

第44课 池边

池边有几株杨柳。一天早晨，黄莺停在树枝头，唱着歌儿不住口。我走到树下静听，仿佛舞台上，正在合奏音乐的时候，好听呀！我哪肯离开了他就走。池边有几株杨柳。一天黄昏，月亮照在树梢头，枝叶摇动水纹皱。我坐在岸旁细看，仿佛银幕上，正在开演电影的时候。好看呀！我哪肯离开了他就走。

一天黃昏，月亮照在樹梢頭，
枝葉搖動水紋皺.
我坐在岸旁細看，
髣髴銀幕上，
正在開演電影的時候.
好看呀！我那肯離開了他就走.

買鞋子

秦武想出去買一雙新的鞋子.他先照著舊的鞋子，翦了一個鞋樣.就帶了錢到市上去.

第45课 买鞋子

秦武想出去买一双新的鞋子。他先照着旧的鞋子，剪了一个鞋样。就带了钱到市上去。走了许多路，才到鞋子店里。他拣定了一双鞋子，就向口袋里摸那鞋样，想对照一下，摸了好久，惊慌道：“鞋样没有带来，等一会来买吧。”店伙道：“这鞋子，是你自己穿的，还是代人买的？”秦武道：“是我自己穿的。”店伙道：“既然是你自己

走了許多路，才到鞋子店裏．他揀定了一雙鞋子，就向口袋裏摸，那鞋樣，想對照一下．摸了好久，驚惶道：『鞋樣沒有帶來，等一會來買罷』店夥道：『這鞋子，是你自己穿的，還是代人買的？』秦武道：『是我自己穿的．』店夥道：『既然是你自己穿的，只要穿在腳上試一下，就好了，何必再去拿鞋樣呢？』秦武道：『不用鞋樣，尺寸那裏會準確呢？』說罷，急忙走回去．店夥道：『這個人不信自己的腳，卻信翦的鞋樣，真是一個傻子．』

我是鞋子

穿的，只要穿在脚上试一下，就好了，何必再去拿鞋样呢？”秦武道：“不用鞋样，尺寸哪里会准确呢？”说罢，急忙走回去。店伙道：“这个人不信自己的脚，却信剪的鞋样，真是一个傻子。”

我的名字，叫做鞋子．我的工作，只是走路．
我走遍了南北東西，才曉得世界上只有兩條路：一條是寬平的大路，名字叫做光明；一條是狹窄的小路，名字叫做黑暗．
那條寬平的光明路上，鋪着的石子，共有三種：就是「自由」、「平等」、「博愛」．路旁，開滿着成功的花．
那條狹窄的黑暗路上，鋪着的石子，也有三種：就是「虛僞」、「陰險」、「卑鄙」．路旁，長滿了失敗的草．
我不喜歡走上那狹窄的黑暗路．因為走上了那

第 46 课 我是鞋子

我的名字，叫做鞋子。我的工作，只是走路。我走遍了南北东西，才晓得世界上只有两条路：一条是宽平的大路，名字叫做光明；一条是狭窄的小路，名字叫做黑暗。那条宽平的光明路上，铺着的石子，共有三种：就是“自由、”“平等、”“博爱”。路旁，开满着成功的花。那条狭窄的黑暗路上，铺着的石子也有三种：就是“虚伪、”“阴险、”“卑鄙”。路旁，长满了失败的草。我不喜欢走上那狭窄的黑暗路。因为走上了那条路，要想回到宽平的光明路，就很困难了。

條路,要想回到寬平的光明路,就很困難了.

不受侮辱的孩子

美國抗英獨立的時候,有一個十三歲的孩子,名叫席克生,被英國的軍官捉住.軍官對席克生說:「孩子,替我刷去鞋上的污泥!」席克生道:「甚麼話?我是你的俘虜,請你用待俘虜的方法待我;刷去鞋上的污泥,不是我應該做的事情.」

第 47 课　不受侮辱的孩子

美国抗英独立的时候，有一个十三岁的孩子，名叫席克生，被英国的军官捉住。军官对席克生说：“孩子，替我刷去鞋上的污泥！”席克生道：“什么话？我是你的俘虏，请你用待俘虏的方法待我。刷去鞋上的污泥，不是我应该做的事情。”军官怒喝道：“小奴才，你敢反抗吗？”席克生笑道：“你是军官，应该晓得两国战争的时候，只许捉敌方的兵士，不许扰害人民。现在，你把我捉来，已经违法，还想任意侮辱我吗？”

軍官怒喝道:「小奴才,你敢反抗嗎?」席克生笑道:「你是軍官,應該曉得兩國戰爭的時候,只許捉敵方的兵士,不許擾害人民.現在,你把我捉來,已經違法,還想任意侮辱我嗎?」

不怕強暴的女孩

美國費城地方,有一個十歲的女孩子,名叫愛蘭.當美國起兵反抗英國的時候,許多英國兵開到費城,把愛蘭家裏的一頭牛,搶了去.愛蘭便到英國的軍營裏,向他們的大將王惠立,討還那頭牛.

第48课 不怕强暴的女孩

美国费城地方，有一个十岁的女孩子，名叫爱兰。当美国起兵反抗英国的时候，许多英国兵开到费城，把爱兰家里的一头牛，抢了去。爱兰便到英国的军营里，向他们的大将王惠立，讨还那头牛。王惠立说：“你家里没有长辈吗？为什么叫你来？”爱兰说：“父亲和哥哥都加入革命军，出去打仗了。”王惠立说：“这还了得！革命军是反叛英

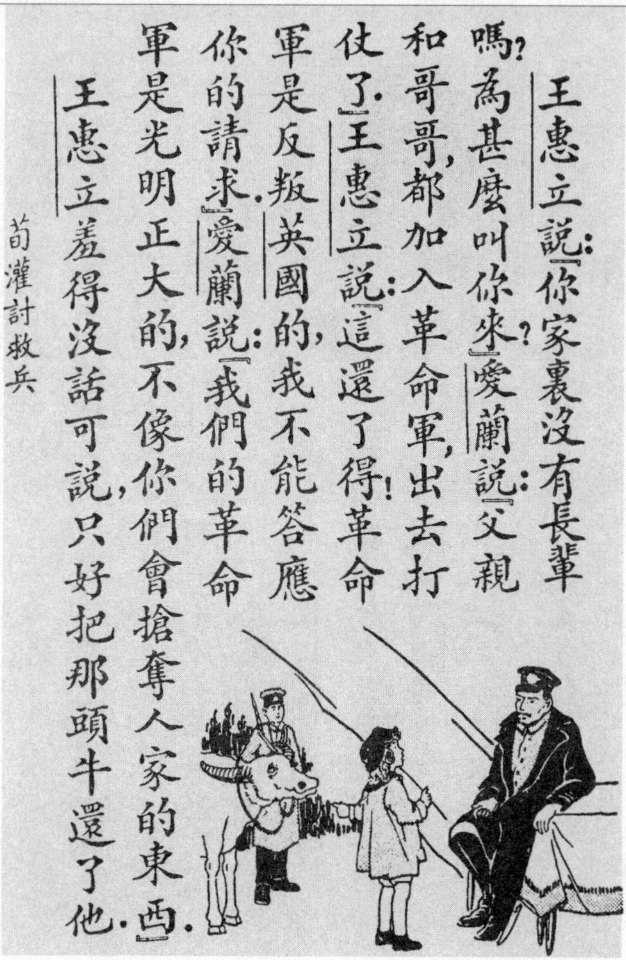

王惠立說：「你家裏沒有長輩嗎？為甚麼叫你來？」愛蘭說：「父親和哥哥，都加入革命軍，出去打仗了。」王惠立說：「這還了得！革命軍是反叛英國的，我不能答應你的請求。」愛蘭說：「我們的革命軍是光明正大的，不像你們會搶奪人家的東西。」

王惠立羞得沒話可說，只好把那頭牛還了他。

荀灌討救兵

国的，我不能答应你的请求。”爱兰说：“我们的革命军是光明正大的，不像你们会抢夺人家的东西。”王惠立羞得没话可说，只好把那头牛还了他。

晉朝時候——距今約一千六百年,——荀崧鎮守襄城,被賊兵圍住.城裏的糧食,快要完了.荀崧想派人出城去討救兵,但是沒有人敢冒險出去荀崧有個女兒,名叫荀灌.那時,年才十三歲.他見父親很焦急,便說:「爸爸,讓我出城去討救兵罷!」荀崧曉得他的膽子很大,就派他出去.半夜裏,荀灌帶了幾個衛兵,衝出城去.賊兵在後面追來,荀灌和衛兵一面打,一面走,才得逃出去.不多幾天,大隊救兵已到,那襄城也就解圍了.

第 49 课 荀灌讨救兵

晋朝时候——距今约一千六百年，——荀崧镇守襄城，被贼兵围住。城里的粮食，快要完了。荀崧想派人出城去讨救兵，但是没有人敢冒险出去，荀崧有个女儿名叫荀灌。那时，年才十三岁。他见父亲很焦急，便说：“爸爸，让我出城去讨救兵罢！”荀崧晓得他的胆子很大，就派他出去。半夜里，荀灌带了几个卫兵，冲出城去。贼兵在后面追来，荀灌和卫兵一面打，一面走，才得逃出去。不多几天，大队救兵已到，那襄城也就解围了。

採茶

三月裏採茶茶發芽，姊妹提籃到山崖．
東山茶多西山少，不論多少採回家．
四月裏採茶正當春，娘在房中繡手巾．
兩邊繡出茶花朵，
中央繡出採茶人．
五月裏採茶人更忙，
蠶桑未了又插秧．
採得茶來蠶不飽，喂得蠶來秧又黃．

第 50 课 采茶

三月里采茶茶发芽，姊妹提篮到山崖。东山茶多西山少，不论多少采回家。四月里采茶正当春，娘在房中绣手巾。两边绣出茶花朵，中央绣出采茶人。五月里采茶人更忙，蚕桑未了又插秧。采得茶来蚕不饱，喂得蚕来秧又黄。

四兩茶葉

林肯，是一位有名的人物，曾任美國的大總統。他少年時候，家境貧困，在商店裏做一個學徒。一天，有一個顧客，來買半斤茶葉。林肯弄錯了，只給他四兩。那個顧客也沒有覺察，匆匆拿回去。到了晚上，林肯偶然想起，心上很覺不安。立刻拿起秤來，稱了四兩茶葉，送到那顧客的家裏；並且向他道歉。後來，大家知道林肯是個誠實的商人，都喜歡和他交易。那一家商店的營業，因此興盛起來。

第51课 四两茶叶

林肯，是一位有名的人物，曾任美国的大总统。他少年时候，家境贫困，在商店里做一个学徒。一天，有一个顾客，来买半斤茶叶。林肯弄错了，只给他四两，那个顾客也没有觉察，匆匆拿回去。到了晚上，林肯偶然想起，心上很觉不安。立刻拿起秤来，称了四两茶叶，送到那顾客的家里，并且向他道歉。后来，大家知道林肯是个诚实的商人，都喜欢和他交易。那一家商店的营业，因此兴盛起来。

不失信

東漢時候，范式和張劭同學．畢業的時候，范式對張劭說：「三年後某月某日，我到你家拜訪．」范式的本鄉，是在山東金鄉；張劭的本鄉，是在河南汝南．兩地相距約一千里．那時候的交通很困難，往來一次，恐怕要一個多月．

二年後的約期將要到了，張劭對母親說：「三年前，范式和我約定在某日到我家來，請母親備一桌菜．」母親說：「三年前說的話，恐怕他早已忘掉了；卽使不

第52课 不失信

东汉时候，范式和张劭同学。毕业的时候，范式对张劭说：“二年后某月某日，我到你家拜访。”范式的本乡，是在山东金乡；张劭的本乡，是在河南汝南。两地相距约一千里。那时候的交通很困难，往来一次，恐怕要一个多月。二年后的约期将要到了，张劭对母亲说：“二年前范式和我约定在某日到我家来，请母亲备一桌菜。”母亲说：“二年前说的话，恐怕他早已忘掉了；即使不忘掉，他家离这里有一千里路，未必能够如期赶到的。”张劭说：“范式向来不失信。母亲，请你预备。”到了约定的那一天，范式果然到来，畅叙了几天，才告别回去。

忘掉，他家離這裏有一千里路，未必能夠如期趕到的。張劭說：「范式向來不失信。母親，請你預備。」到了約定的那一天，范式果然到來。暢敘了幾天，才告別回去。

救人的童子軍

一條冷落的街上，中間有一堆石頭。來往的人，須繞過這堆石頭，才能前進。一個盲人，拿了一根竹竿，叩著地，慢慢走來。到了石頭旁邊，走不過去。他用竹竿向左右探索，左邊是

第 53 课　救人的童子军

一条冷落的街上，中间有一堆石头。来往的人，须绕过这堆石头，才能前进。一个盲人，拿了一根竹竿，叩着地，慢慢走来。到了石头旁边，走不过去。他用竹竿向左右探索，左边是一垛墙，不能通行；右边是一条大河，一失足就要跌下。可怜不见天地的盲人，

一垛牆，不能通行；右邊是一條大河，一失足就要跌下．可憐不見天地的盲人，他以為右邊是大路，儘可放膽走過去．

在這危急的時候，後面忽然來了一個童子軍．他急忙奔過去，把盲人拉住，繞過那堆石頭．很誠懇的對盲人說道：「前面才是大路，你放心走罷．」說罷，他把那堆石頭，移到牆邊去．

他以为右边是大路，尽可放胆走过去。在这危急的时候，后面忽然来了一个童子军，他急忙奔过去，把盲人拉住，绕过那堆石头。很诚恳的对盲人说道：“前面才是大路，你放心走吧。”说罢，他把那堆石头移到墙边去。

盡職的巡察員

民生小學的走廊裏，貼著「靠左走」三個字．因為近來仍有人不注意，巡察團又定了一個規則：凡是不靠左邊走的人，要罰他重走．

星期一的早上，有一個客人來參觀．他沒有看見走廊裏貼的標語，從右邊一直走過去．恰巧被巡察員徐明看見，便對客人行了一個鞠躬禮，說：「敝校有一個規則：凡是不靠左邊走的人，要罰他重走．現在，先生走錯了．」客人一想，果然走錯了，便說：「我應該重

第54课 尽职的巡察员

民生小学的走廊里，贴着“靠左走”三个字 。因为近来仍有人不注意，巡察团又定了一个规则：凡是不靠左边走的人，要罚他重走。星期一的早上，有一个客人来参观。他没有看见走廊里贴的标语，从右边一直走过去。恰巧被巡察员徐明看见，便对客人行了一个鞠躬礼，说：“敝校有一个规则：凡是不靠左边走的人，要罚他重走。现在，先生走错了。”客人一想，果然走错了，便说：“我应该重走。”说罢，他走出校门，再从左边走进来。客人见了校长，十分称赞徐明能够尽职。他就写了“尽职的巡察员”六个字，请校长给徐明做纪念品。

走.說罷,他走出校門,再從左邊走進來.客人見了校長,十分稱贊徐明能够盡職.他就寫了「盡職的巡察員」六個字,請校長給徐明做紀念品.

敏級商訂規則

敏級發生了兩件不幸的事:一件是燦如的皮毬,被同學私自拿去玩;燦如不見皮毬,哭了好久.一件是方朔的抽屜,被同學私自開了亂翻;方朔回到座位上,找一件東西,費了許多時間.

敏級的級會,照例每星期六要開一次常會,商訂

第 55 课 敏极商订规则

敏级发生了两件不幸的事：一件是灿如的皮球，被同学私自拿去玩；灿如不见皮球，哭了好久。一件是方朔的抽屉，被同学私自开了乱翻；方朔回到座位上，找一件东西，费了许多时间。敏级的级会，照例每星期六要开一次常会，商订下周共同应守的规则，好让大家特别注意。常会开会了，灿如和方朔等都有提议。大家讨论

下週共同應守的規則,好讓大家特別注意.
常會開會了,燦如和方朔等都有提議.大家討論
結果,通過了下週特別注意的規則.
星期一的早晨,敏級的教室裏,貼着一張佈告:

本週特別注意的規則:
一、下了課,就要離開教室.
二、沒有得到允許,不拿別人的東西.
三、不開別人的抽屜.

百靈鳥搬家

结果，通过了下周特别注意的规则。星期一的早晨，敏级的教室里，贴着一张布告：本周特别注意的规则：一、下了课就要离开教室。二、没有得到允许，不拿别人的东西。三、不开别人的抽屉。

麥田裏,有一個百靈鳥的窠.一天,農夫在田邊對他的兒子說:「麥已熟了,明天,你去請鄭家表叔,來替我們收割.」小鳥們聽了,都嚇呆了,便催老鳥立刻搬家.老鳥說:「他們想依賴別人,一定不會成功的.」第二天,又聽得農夫對他的兒子說:「鄭家表叔自己很忙,不能來收割;明天,你去請陶家伯伯,來替我們收割.」小鳥們又催老鳥趕緊搬家.老鳥說:「他們仍

第56课 百灵鸟搬家

麦田里，有一个百灵鸟的窠。一天，农夫在田边对他的儿子说：“麦已熟了，明天，你去请郑家表叔，来替我们收割。”小鸟们听了，都吓呆了，便催老鸟立刻搬家。老鸟说：“他们想依赖别人，一定不会成功的。”第二天，又听得农夫对他的儿子说：“郑家表叔自己很忙，不能来收割；明天，你去请陶家伯伯，来替我们收割。”小鸟们又催老鸟赶紧搬家。老鸟说：“他们仍想依赖别人 ，终究不会成功的。”第三天，又听得农夫对他的儿子说：“陶家伯伯既然有病，不能来收割；明天，我们自己动手吧。”老鸟便吩咐小鸟们说：“他们不依赖别人，自己工作，当然不会耽搁，我们快搬家吧。”

想依賴別人，終究不會成功的.」

第三天，又聽得農夫對他的兒子說:「陶家伯伯既然有病，不能來收割；明天，我們自己動手罷.」老鳥便吩咐小鳥們說:「他們不依賴別人，自己工作，當然不會耽擱，我們快搬家罷.」

潘二的屋子

潘二是一個泥水匠，可是他自己住的屋子壞了，還沒有修理.下雨的日子，滿屋子都漏了水.一天又下雨了，鄰人馬五，撐了傘到潘二家裏，對

第 57 课 潘二的屋子

潘二是一个泥水匠，可是他自己住的屋子坏了，还没有修理。下雨的日子，满屋子都漏了水。一天又下雨了，邻人马五，撑了伞到潘二家里，对潘二说：“你的屋子这样漏，趁早把他修理一下吧。”潘二说：“今天雨很大，怎能爬到屋子上去修理呢？等天晴了再说。”明天，天晴了，马五又跑来对他说：“现在天晴了，你趁早把屋子修理一下

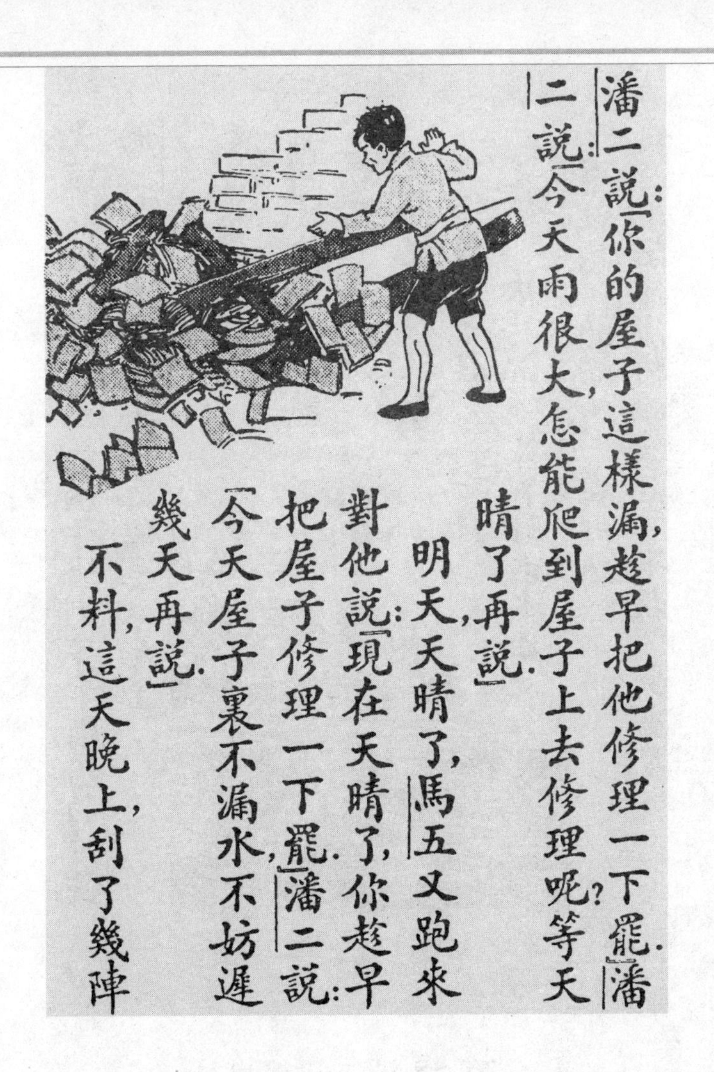
潘二說：「你的屋子這樣漏，趁早把他修理一下罷。」潘二說：「今天雨很大，怎能爬到屋子上去修理呢？等天晴了再說。」

明天，天晴了，馬五又跑來對他說：「現在天晴了，你趁早把屋子修理一下罷。」潘二說：「今天屋子裏不漏水，不妨遲幾天再說。」

不料，這天晚上，刮了幾陣

吧。”潘二说：“今天屋子里不漏水，不妨迟几天再说。”不料，这天晚上，刮了几阵大风，豁拉一声，潘二的屋子坍倒了。幸亏坍的时候，潘二还没有回家，否则他便要压死了。

大風豁拉一聲，潘二的屋子坍倒了．幸虧坍的時候，潘二還沒有回家否則他便要壓死了．

布穀鳥

榴花紅，蒲葉綠，田中大麥已成熟．布穀鳥，東邊叫，西邊呼：大好光陰休耽誤，布穀！布穀！快布穀！豆莢飽，秧針出，連宵好雨水已足．布穀鳥，聲斷續，在叮囑：錯過光陰沒法補，布穀！布穀！快布穀！

第58课 布谷鸟

榴花红，蒲叶绿，田中大麦已成熟。布谷鸟，东边叫，西边呼：大好光阴休耽误，布谷！布谷！快布谷！豆荚饱，秧针出，连宵好雨水已足。布谷鸟，声断续，在叮嘱：错过光阴没法补，布谷！布谷！快布谷！

微弱的光

黃昏時候，路旁一盞電燈，發出光芒．一隻天蛾，飛到電燈旁邊說：『你的光很微弱，不及太陽，有甚麼用呢？電燈說：『夜裏，路上很黑暗，要是沒有我照著，行人怎能辨別方向呢？

天蛾離開了大路，又飛到一條小路上去．忽見一個人提着一盞燈籠，燈籠裏點着一枝蠟燭．天蛾飛到燈籠旁邊，對蠟燭說：『你的光很微弱，遠不及電燈，有甚麼用呢？蠟燭說：『這裏，沒有電燈，要是沒有我照、

第 59 课 微弱的光

黄昏时候，路旁一盏电灯，发出光芒。一只天蛾，飞到电灯旁边说：“你的光很微弱，不及太阳，有什么用呢？”电灯说：“夜里，路上很黑暗，要是没有我照着，行人怎能辨别方向呢？”天蛾离开了大路，又飞到一条小路上去。忽见一个人提着一盏灯笼，灯笼里点着一枝蜡烛。天蛾飞到灯笼旁边，对蜡烛说：“你的光很微弱，远不及电灯，有什么用呢？”蜡烛说：“这里没有电灯，要是没有我照着，行人便要相撞了。”正说着，天蛾瞥见一只尾巴上发光的萤火虫。他又飞到萤火虫旁边说：“你的光很微弱，更比不上蜡烛，有什么用呢？”萤火虫说：“路上如果没有灯，我也可以照着人们走路的。”

著，行人便要相撞了。

正說著，天蛾瞥見一隻尾巴上發光的螢火蟲。他又飛到螢火蟲旁邊說：『你的光很微弱，更比不上蠟燭，有甚麼用呢？』螢火蟲說：『路上如果沒有燈，我也可以照著人們走路的。』

四個苦學生

匡衡小時，夜裏沒有錢買油點燈。一天，偶然看見鄰家的燈光很亮，他就在牆壁上鑿了一個小洞，使燈光射過來，照著讀書。

第60课 四个苦学生

匡衡小时，夜里没有钱买油点灯。一天，偶然看见邻家的灯光很亮，他就在墙壁上凿了一个小洞，使灯光射过来，照着读书。江泌小时，夜里也没有钱买油点灯。他坐在月亮底下读书。月亮斜过去了，他又爬到屋上，追着月光，勤读不息。车胤在夏天夜里，捉了许多萤火虫，放在纱袋里。把纱袋挂在窗前，靠着萤火虫放出的光，照着读书。

江泌小時，夜裏也沒有錢買油點燈．他坐在月亮底下讀書．月亮斜過去了，他又爬到屋上，追著月光，勤讀不息．

車胤在夏天夜裏，捉了許多螢火蟲，放在紗袋裏．把紗袋掛在窗前，靠著螢火蟲放出的光，照著讀書．

孫康在冬天夜裏，坐在雪堆旁邊，靠著白雪反射的微光，勤讀不息．

這四個苦學生所用的方法，雖然有些流弊，可是他們的奮鬬精神，委實可敬．

孙康在冬天夜里，坐在雪堆旁边，靠着白雪反射的微光，勤读不息。这四个苦学生所用的方法，虽然有些流弊，可是他们的奋斗精神，委实可敬。

好學的承宮

徐子盛在村上設了一個學塾,許多學生在裏面讀書.

有一個牧豬的孩子,每天走過學塾,站在門外,側著耳朵聽.他心裏很羨慕,也想進學塾去讀書.但是他的父母死了,家裏又很窮,怎能去讀書呢?

一天,他大著膽子,走進學塾,

第 61 课 好学的承宫

徐子盛在村上设了一个学塾，许多学生在里面读书。有一个牧猪的孩子，每天走过学塾，站在门外侧着耳朵听。他心里很羡慕，也想进学塾去读书。但是他的父母死了，家里又很穷，怎能去读书呢？一天，他大着胆子，走进学塾，对徐子盛说：“老师，我想在这里读书，只是没有学费。老师肯帮助我这个可怜的孩子吗？”徐子盛一口答应

對徐子盛說：「老師，我想在這裏讀書，只是沒有學費．老師肯幫助我這個可憐的孩子嗎？」徐子盛一口答應道：「好一個好學的孩子，你就在這裏聽講罷．」從此，他早晚在學塾讀書，白天仍舊替人家牧猪．後來居然成一個有名的人．這個孩子是誰？便是東漢時候的承宫．

蒲葉書

路温舒，家境苦．每天牽着一羣羊，山前山後來放牧．他見鄰孩入學塾，心中那得不羡慕．

道：“好一个好学的孩子，你就在这里听讲罢。”从此，他早晚在学塾读书，白天仍旧替人家牧猪。后来居然成一个有名的人。这个孩子是谁？便是东汉时候的承宫。

一天走過淺水湖，湖水青青野蒲綠．他想此物可利用，便把蒲葉採幾束；回家取了針和線，把那葉片縫成簿．向人借得書幾部，早晚用心細鈔錄．鈔呀鈔，鈔成幾本蒲葉書．

從此路溫舒，一面把羊牧，一面把書讀．今天讀，明天讀，不要父母去督促，一字一句都背熟．到後來，竟成一個大人物．

誰算最正當（一）

「蟲兒們得到食物的方法，誰算最正當？「燕子出了

第 62 课 蒲叶书

路温舒，家境苦。每天牵着一群羊，山前山后来放牧。他见邻孩入学塾，心中那得不羡慕。一天走过浅水湖，湖水青青野蒲绿。他想此物可利用，便把蒲叶采几束；回家取了针和线，把那叶片缝成簿。向人借得书几部，早晚用心细抄录。抄呀抄，抄成几本蒲叶书。从此路温舒，一面把羊牧，一面把书读。今天读，明天读，不要父母去督促，一字一句都背熟。到后来，竟成一个大人物。

這一個問題。一隻蟑螂，從廚房裏飛出來，說道：『我們自己去找尋食物，自然要算最正當了。』燕子說：『你們躲在廚房裏，過偷竊的生活，怎好算最正當呢？』牆邊的蟋蟀說：『我們靠自己的力氣，找尋食物，要算最正當了。』燕子說：『不，你們只靠武力，互相奪取，也不能算正當。』簷下的蜘蛛說：『我們靠自己的智慧，找尋食物，再正當也沒有了。』燕子說：『呸，你們專用欺騙的手段，誘

第 63 课 谁算最正当

“虫儿们得到食物的方法，谁算最正当？”燕子出了这一个问题。一只蟑螂从厨房里飞出来，说道：“我们自己去找寻食物，自然要算最正当了。”燕子说：“你们躲在厨房里，过偷窃的生活，怎好算最正当呢？”墙边的蟋蟀说：“我们靠自己的力气，找寻食物，要算最正当了。”燕子说：“不，你们只靠武力，互相夺取，也不能算正当。”檐下的蜘蛛说：“我们靠自己的智慧，找寻食物，再正当也没有了。”燕子说：“呸，你们专用欺骗的手段，诱人投入你的网里。这方法可算正当吗？”

人投入你的網裏.這方法可算正當嗎?」

誰算最正當(二)

燕子正在說著,忽然一個跳蚤,跳過來說:「我們得到食物的方法最正當.」燕子說:「你們專吸人身上的血液,損人利己;並且吸飽了就逃走.非但不正當,簡直是下流的東西.」

一個蚊子聽見了,說道:「我們在未吸人身上的血液以前,總是先通知人的,這可算正當了罷.」燕子說:「你們常把疾病傳染給人,何嘗是正當.」

燕子正在说着，忽然一个跳蚤，跳过来说：“我们得到食物的方法最正当。”燕子说：“你们专吸人身上的血液，损人利己；并且吸饱了就逃走。非但不正当，简直是下流的东西。”一个蚊子听见了，说道：“我们在未吸人身上的血液以前，总是先通知人的，这可算正当了吧。”燕子说：“你们常把疾病传染给人，何尝是正当。”最后，飞来一个蜜蜂，他说：“我得到食物的方法可以算正当吗？”燕子点点头道：“是的，你可以算最正当的了。因为，无论谁活在世界上，不能只吃不生产，或是为了自己的吃，去侵害别人。像你，做了工，才享受食物，并且不去侵害别人，的确是最正当了。”

最後,飛來一個蜜蜂,他說:「我得到食物的方法,可以算正當嗎?」燕子點點頭道:「是的,你可以算最正當的了.因為,無論誰,活在世界上,不能只吃不生產,或是為了自己的吃,去侵害別人.像你,做了工,才享受食物,並且不去侵害別人,的確是最正當了.」

一隻茄子

黑夜裏,素珍從外面回來.走到大門口,踏着一件軟綿綿的東西.只聽得呱的一聲,那東西便不動了.素珍心裏想,也許是踏死了一隻青蛙.

第64课 一只茄子

黑夜里，素珍从外面回来，走到大门口，踏着一件软绵绵的东西。只听得呱的一声，那东西便不动了，素珍心里想，也许是踏死了一只青蛙。后来他睡在床上，还是不住的想。隔了好久，才得睡熟。不料，他梦见一个像人那么大的青蛙，跳到他的床前，把他拉起来，定要叫他偿命。素珍正在挣扎的时候，突然又见许多小青蛙，一齐向他咬。素珍一吓便醒了。他急忙走下床点了一盏灯，跑到门外去察看。原来他踏着的是一只茄子，并不是青蛙。

後來，他睡在牀上，還是不住的想．隔了好久，才得睡熟．不料，他夢見一個像人那麼大的青蛙，跳到他的牀前，把他拉起來定要叫他償命．素珍正在掙扎的時候，突然又見許多小青蛙，一齊向他咬．

素珍一嚇，便醒了．他急忙走下牀點了一盞燈，跑到門外去察看．原來他踏着的是一隻茄子，並不是青蛙．

殺兩隻野雞

施綱和他的兒子，出門旅行．經過一座山，天色已晚，來不及趕到城市，就借宿在附近的一户人家．這家的主人，燒了幾樣菜，請他們吃飯．正在吃飯的時候，施綱瞥見壁上掛着刀槍，心裏很憂慮．後來到了牀上，反來覆去，一夜沒有睡着．天還沒有亮，忽聽得主人說：「殺一個，留一個，好嗎？」他的妻子說：「不，兩個都殺．」接着，又聽得磨刀的聲音．施綱嚇出一身冷汗，急忙推醒了兒子，一同用力抵住房門．直到太陽上昇，才走出房，和主人道別．

第65课 杀两只野鸡

施纲和他的儿子，出门旅行。经过一座山，天色已晚，来不及赶到城市，就借宿在附近的一户人家。这家的主人，烧了几样菜，请他们吃饭。正在吃饭的时候，施纲瞥见壁上挂着刀枪，心里很忧虑。后来到了床上，反来复去，一夜没有睡着。天还没有亮，忽听得主人说："杀一个，留一个，好吗？"他的妻子说："不，两个都杀。"接着又听得磨刀的声音。施纲吓出一身冷汗，急忙推醒了儿子，一同用力抵住房门。直到太阳上升，才走出房，和主人道别。主人说："今天早上，我杀了两只野鸡，想请你俩吃了早饭再走。"施纲听了这话，才明白自己的误会。

主人說:「今天早上,我殺了兩隻野雞,想請你倆吃了早飯再走.」施綱聽了這話,才明白自己的誤會.

你認識我嗎(一)

佈景:富翁住宅的門口.

人物:樵夫.富翁.僕人.

開幕時:富翁站在門口,樵夫走來.

樵夫 先生,我的肚子很餓,請你給碗飯我吃罷!

富翁 沒有!

樵夫 先生,我是遠地方的人,走了許多路,路費用

第66课 你认识我吗

布景:富翁住宅的门口。人物:樵夫、富翁、仆人。开幕时:富翁站在门口,樵夫走来。樵夫:先生,我的肚子很饿,请你给碗饭我吃吧!富翁:没有!樵夫:先生,我是远地方的人,走了许多路,路费用完了,所以向你讨碗饭吃,请先生牺牲一些吧!富翁:谁叫你用完路费?我即使有饭,也不给你吃。樵夫:先生,我并非是叫化子,

完了，所以向你討碗飯吃，請先生犧牲一些罷！

富翁　誰叫你用完路費？我即使有飯也不給你吃。

樵夫　先生，我並非是叫化子，如果你能救我一時的急難，將來總想法報答你。

富翁　滾開！誰要你報答？（喊僕人）張三！把這個叫化子趕開。

僕人　（奔出來）誰在這裏胡鬧？

樵夫　哼！……（幕下）

你認識我嗎（二）

如果你能救我一时的急难，将来总想法报答你。富翁：滚开！谁要你报答？(喊仆人)张三！把这个叫化子赶开。仆人：(奔出来)谁在这里胡闹？樵夫：哼！……(幕下)

布景：山里樵夫的家庭。人物：樵夫、樵妇、富翁。开幕时：樵夫、樵妇，正在吃饭，富翁走进来。富翁：请问一个讯，进城的路，从

佈景：山裏樵夫的家庭．
人物：樵夫．樵婦．富翁．
開幕時：樵夫、樵婦，正在吃飯，富翁走進來．
富翁　請問一個訊，進城的路，從那裏走的？
樵夫　(向富翁看了一會)先生，你到山裏來做甚麼？
富翁　我在山裏打獵，迷了路了，請你指點我罷！
樵夫　先生，天已晚了，路又難走，萬一遇到虎狼，是很危險的．還是在這裏住一夜，明天送你回府罷．
富翁　不，不能擾你．

哪里走的？樵夫：(向富翁看了一会)先生，你到山里来做什么？富翁：我在山里打猎，迷了路了，请你指点我吧！樵夫：先生，天已晚了，路又难走，万一遇到虎狼，是很危险的。还是在这里住一夜，明天送你回府吧。富翁：不，不能扰你。樵妇：不要客气，请坐下来，用饭吧。不过山上的人家，只有一些白酒、鹿肉，太简慢了。富翁：谢谢！谢

樵婦　不要客氣，請坐下來，用飯罷。不過山上的人家，只有一些白酒、鹿肉，太簡慢了。

富翁　謝謝！謝謝！（坐下喝酒、吃飯。樵夫把被褥鋪在牀上。富翁吃罷了飯，樵夫和他講話）

樵夫　先生，如果不嫌我們的被褥骯髒，請休息罷！

富翁　（十分感激）謝謝！你們也休息罷。（幕下）

你認識我嗎（三）

佈景：山旁。

人物：樵夫。富翁。

谢！（坐下喝酒、吃饭。樵夫把被褥铺在床上。富翁吃罢了饭，樵夫和他讲话）樵夫：先生，如果不嫌我们的被褥肮脏，请休息吧！富翁：（十分感激）谢谢！你们也休息吧。（幕下）

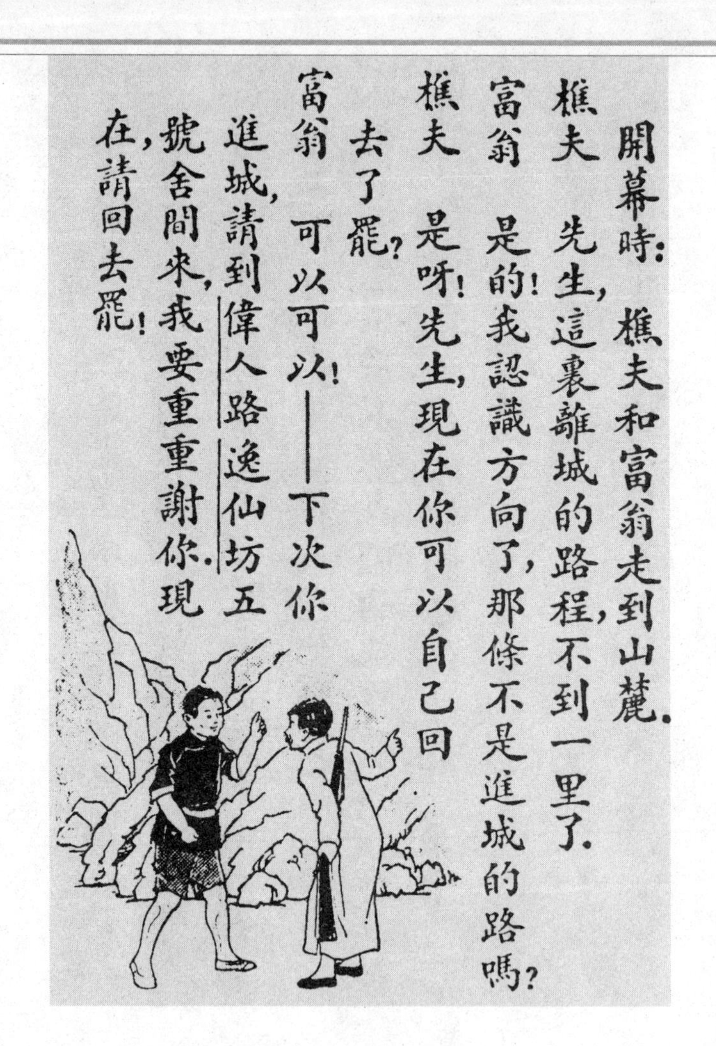
開幕時：樵夫和富翁走到山麓。

樵夫　先生，這裏離城的路程，不到一里了。

富翁　是的！我認識方向了，那條不是進城的路嗎？

樵夫　是呀！先生，現在你可以自己回去了罷？

富翁　可以可以！——下次你進城，請到偉人路逸仙坊五號舍間來，我要重重謝你。現在，請回去罷！

布景：山旁。人物：樵夫、富翁。开幕时：樵夫和富翁走到山麓。樵夫：先生，这里离城的路程，不到一里了。富翁：是的！我认识方向了，那条不是进城的路吗？樵夫：是呀！先生，现在你可以自己回去了吧？富翁：可以可以！——下次你进城，请到伟人路逸仙坊五号舍间来，我要重重谢你，现在，请回去吧！

樵夫　先生，你認識我嗎？
富翁　我記不清楚了，好像是見過的。
樵夫　你可記得一箇月前，你站在門口，有個樵夫，向你討飯嗎？——我就是那個樵夫啊！
富翁　（十分慚愧）哦！……
（幕下）

樵夫：先生，你认识我吗？富翁：我记不清楚了，好像是见过的。樵夫：你可记得一个月前，你站在门口，有个樵夫，向你讨饭吗？——我就是那个樵夫啊！富翁：（十分惭愧）哦！……　　（幕下）

採菱

菱塘小，菱塘淺。
青菱嫩，紅菱鮮。
不問紅與青，祇要菱肉甜。
採得滿盆歸去了，
遠樹枝頭烏鴉噪。

菱角多，菱角銳。
青菱小，紅菱肥。
不問紅與青，祇要菱肉肥。
採得滿盆歸去了，
田家屋上炊烟裊。

第67课 采菱

菱塘小，菱塘浅。青菱嫩，红菱鲜。不问红与青，只要菱肉甜。采得满盆归去了，远树枝头乌鸦噪。菱角多，菱角锐。青菱小，红菱肥。不问红与青，只要菱肉肥。采得满盆归去了，田家屋上炊烟袅。

苦的李子

王戎七歲時候，和幾个小朋友，到野外去玩。路旁有一株李樹，上面結著許多李子。小朋友們看見了，喜歡得甚麼似的，紛紛去採摘；王戎卻站著不動。有一个過路的人，問王戎道：『孩子，你為甚麼不跟他們去摘李子喫呢？』王戎道：『這株樹上的李子，一定是苦的，有甚麼好喫！』那人很奇怪，說道：『你沒有嘗過，怎麼知道是苦的呢？』

第68课 苦的李子

王戎七岁时候，和几个小朋友，到野外去玩。路旁有一株李树，上面结着许多李子。小朋友们看见了，喜欢得什么似的，纷纷去采摘；王戎却站着不动。有一个过路的人，问王戎道：“孩子，你为什么不跟他们去摘李子吃呢？”王戎道：“这株树上的李子一定是苦的，有什么好吃！”那人很奇怪，说道：“你没有尝过，怎么知道是苦的呢？”王戎道：“这株李树，生在大路旁边，若使不是苦李，早已给过路的人摘完了，怎么还会留得这许多呢？”那人不信王戎的话，去摘一个李子，尝了一口，果然是很苦的。

王戎道「這株李樹，生在大路旁邊，若使不是苦李，早已給過路的人摘完了，怎麼還會留得這許多呢？」那人不信王戎的話，去摘一箇李子，嘗了一口，果然是很苦的。

不是我家的梨樹

有一年的暑天，一羣逃難的人，在酷烈的太陽底下，走得滿頭大汗，氣喘吁吁；並且肚子很餓，嘴裏很渴。忽見路旁有一株梨樹，結著許多梨子。逃難的人不問是誰家的果樹，便蜂擁似的上前去摘來喫。祇有一个小孩子，名叫許衡的，他卻獨自坐在樹下乘

第 69 课 不是我家的梨树

有一年的暑天，一群逃难的人，在酷烈的太阳底下，走得满头大汗，气喘吁吁；并且肚子很饿，嘴里很渴。忽见路旁有一株梨树，结着许多梨子。逃难的人不问是谁家的果树，便蜂拥似的上前去摘来吃。只有一个小孩子，名叫许衡的，他却独自坐在树下乘凉，不去摘梨子吃。有人问他道：“天气这样炎热，你怎么不摘几个梨子解渴呢？”许衡道；“物各有主，不是我家的梨树，怎可随便摘来吃呢！”那人道：“路旁的梨树，是没有主人的。”许衡道：“梨树虽然没有主人，难道我的心也没有主人了吗？”

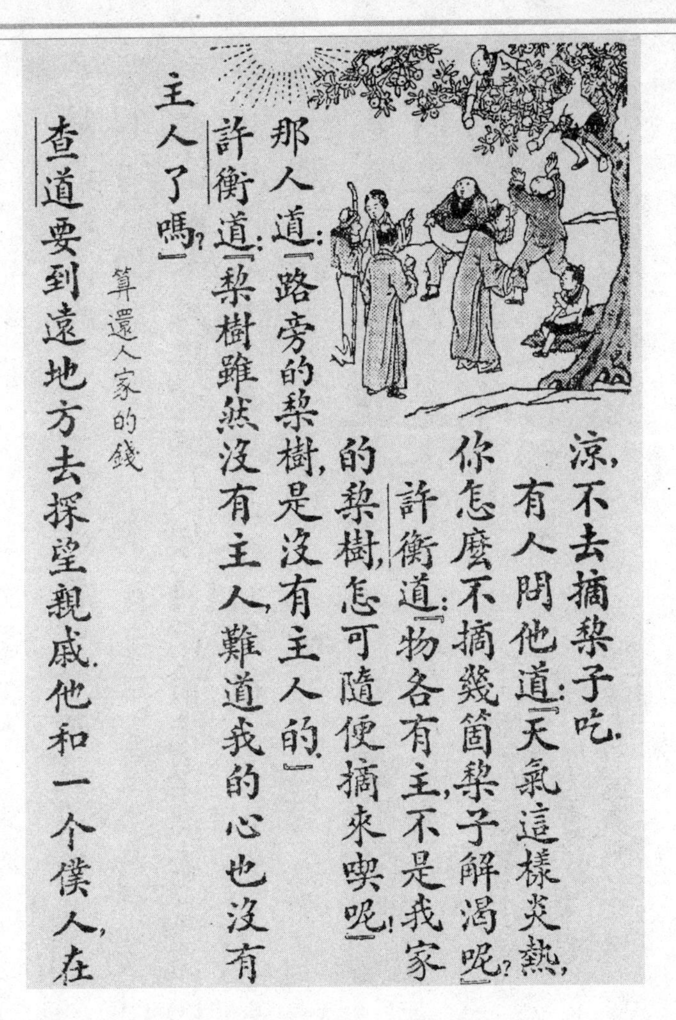

涼，不去摘梨子吃。有人問他道：「天氣這樣炎熱，你怎麼不摘幾箇梨子解渴呢？」許衡道：「物各有主，不是我家的梨樹，怎可隨便摘來喫呢！」那人道：「路旁的梨樹，是沒有主人的。」許衡道：「梨樹雖然沒有主人，難道我的心也沒有主人了嗎？」

算還人家的錢

查道要到遠地方去探望親戚。他和一个僕人，在

第 70 课 算还人家的钱

查道要到远地方去探望亲戚。他和一个仆人，在荒僻的路上，走了半天，肚子很饿了。但是没有店铺，买不到食物。主仆两人只得忍着饥饿，再向前走。忽然看见道旁有一株高大的枣树，枣子结得很多。仆人就爬到树上，摘下许多枣子。主仆两人，吃了一饱。临走的时候，

荒僻的路上，走了半天，肚子很餓了。但是沒有店鋪，買不到食物。

主僕兩人只得忍著飢餓，再向前走。忽然看見道旁有一株高大的棗樹，棗子結得很多。僕人就爬到樹上，摘下許多棗子。主僕兩人，喫了一飽。

臨走的時候，查道說：「喫了人家的棗子，應該算還人家的錢。」僕人道：「幾箇棗子，能值多少錢；況且這裏一个人也沒有，就是要算還人家的錢，去給誰呢？」

查道说："吃了人家的枣子，应该算还人家的钱。"仆人道："几个枣子，能值多少钱；况且这里一个人也没有，就是要算还人家的钱，去给谁呢？"查道从口袋里摸出一串钱来，授给仆人道："你不要多说，快替我把这串钱挂在枣树上！"

查道從口袋裏摸出一串錢來，授給僕人道：『你不要多說，快替我把這串錢掛在棗樹上！』

我家門前

我家住在和平村，門前是一箇小湖，風景很好。春季裏，我和小朋友們划著小船，到湖裏去玩。湖裏的水很清，水底的游魚，看得清清楚楚。夏季裏，湖面開著粉紅色的荷花，襯著碧綠的荷葉。雨後的斜陽，照著荷葉上的水點，閃閃爍爍，像珍珠一般。秋季裏，湖邊開了許多野花，紅的、白的、黃的、藍的，像雲霞一般美麗。花叢中，還有許多秋蟲，啾啾唧唧，唱著

第71课 我家门前

我家住在和平村，门前是一个小湖，风景很好。春季里，我和小朋友们划着小船，到湖里去玩。湖里的水很清，水底的游鱼，看得清清楚楚。夏季里，湖面开着粉红色的荷花，衬着碧绿的荷叶。雨后的斜阳，照着荷叶上的水点，闪闪烁烁，像珍珠一般。秋季里，湖边开了许多野花，红的、白的、黄的、蓝的，像云霞一般美丽。花丛中，还有许多秋虫，啾啾唧唧，唱着好听的歌曲。冬季里，下了大雪，湖里的小船，湖边的老树，都罩上了一层白雪。我和小朋友们在门前看雪景，是多么有趣味啊！

好聽的歌曲. 冬季裏，下了大雪，湖裏的小船，湖邊的老樹，都罩上了一層白雪.我和小朋友們在門前看雪景，是多麼有趣味啊!

農家和漁家

看那邊:
竹籬、茅屋，豆棚、瓜架，
風景清幽如圖畫.
女子在紡紗，織布，
男子在割稻，收麻.
可敬呀! 這樣勤勞的農家.

第 72 课 农家和渔家

看那边：竹篱、茅屋，豆棚、瓜架，风景清幽如图画。女子在纺纱，织布，男子在割稻，收麻。可敬呀！这样勤劳的农家。看那边：芦滩、沙岸，枫叶、蓼花，风景美丽如云霞。老妇在绩麻、结网，老翁在捕鱼、捉虾。可敬呀！这样勤劳的渔家。

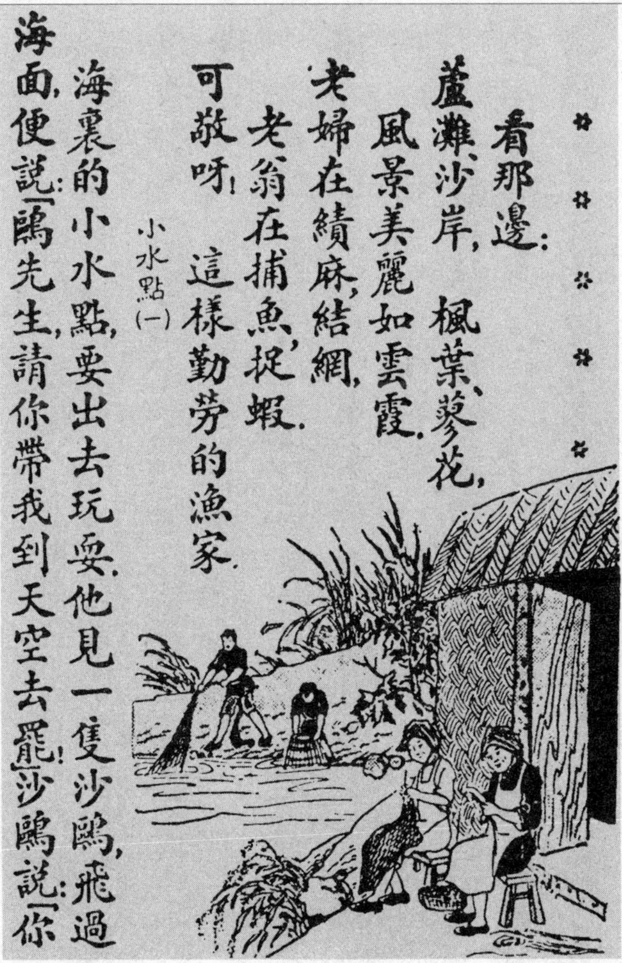

看那邊：
蘆灘、沙岸，楓葉、蓼花，
風景美麗如雲霞。
老婦在績麻，結網，
老翁在捕魚，捉蝦。
可敬呀！這樣勤勞的漁家。

小水點(一)

海裏的小水點，要出去玩耍。他見一隻沙鷗，飛過海面，便說：「鷗先生，請你帶我到天空去罷！」沙鷗說：「你

第73课 小水点

海里的小水点，要出去玩耍。他见一只沙鸥，飞过海面，便说："鸥先生，请你带我到天空去吧！"沙鸥说："你没有翅膀，怎能飞呢？"隔不多时，他见一只蟾蜍，跳到海滩，便说："蟾老兄，请你带我到陆地去吧！"蟾蜍说："你没有脚，怎能走呢？"小水点很失望，坐在海藻上哭。太阳公公说："孩子，你不要恼，我带你去玩吧。"太阳公公带着小水点，慢慢升上天空。遇着一个风力士，推着一部云车；云车里坐着许多小水点的同伴。太阳公公对小水点说："你和他们一

沒有翅膀，怎能飛呢？隔不多時，他見一隻蟾蜍，跳到海灘，便說：「蟾老兄，請你帶我到陸地去罷！」蟾蜍說：「你沒有腳，怎能走呢？」小水點很失望，坐在海藻上哭．太陽公公說：「孩子，你不要惱，我帶你去玩罷．」

太陽公公帶著小水點，慢慢昇上天空．遇著一个風力士，推著一部雲車；雲車裏坐著許多小水點的同伴．太陽公公對小水點說：「你和他們一同去玩罷！」雲車行得很慢，輕輕簸動，好像搖籃一般．小水點坐在裏面，非常舒服．他向下四望，有高大的山峯彎曲的江河，蔥龍的樹木，青黃的田畝；風景很好．到了

同去玩罢！”云车行得很慢，轻轻簸动，好像摇篮一般。小水点坐在里面，非常舒服。他向下四望，有高大的山峰，弯曲的江河，葱茏的树木，青黄的田亩，风景很好。到了晚上，他看见光明的月亮，闪烁的小星，都比从前大了许多。小水点玩了半天，十分倦了，就睡在云车里。

第二天早上，风力士大声呼叫，把云车推得很快。忽然一个霹雳，小水点从云车中跌了出来。他定睛一瞧，却跌在一张荷叶上面。他翻

晚上，他看見光明的月亮，閃爍的小星，都比從前大了許多。小水點玩了半天，十分倦了，就睡在雲車裏。

小水點（二）

第二天早上，風力士大聲呼叫，把雲車推得很快。忽然一箇霹靂，小水點從雲車中跌了出來。他定睛一瞧，卻跌在一張荷葉上面。他翻了幾箇筋斗，站立不住，又落在池裏了。一條鯉魚游過來，把他吸進了肚子。一會兒，魚鰓一張，他又逃了出來。小水點在池裏住了幾天，找不到回家的路，很是焦急。一天，一个女孩到池邊汲水，小水點不及避讓，

了几个筋斗，站立不住，又落在池里了。一条鲤鱼游过来，把他吸进了肚子。一会儿，鱼鳃一张，他又逃了出来。小水点在池里住了几天，找不到回家的路，很是焦急。一天，一个女孩到池边汲水，小水点不及避让，被汲到了桶里。他想："我的生命难保了。"不料，女孩的身体一歪，小水点跳出了桶，急忙躲到路旁的沟里。小水点在沟里，遇到一条蚯蚓，他问道："蚯蚓先生，到海里去是怎样走的？"蚯蚓说："你向东走，经过了江河，便到大海。"小水点听了蚯蚓的话，慢慢向东面走，走了几个月，才回到原来的地方。

被汲到了桶裏.他想:「我的生命難保了.」不料,女孩的身體一歪,小水點跳出了桶,急忙躲到路旁的溝裏.小水點在溝裏,遇到一條蚯蚓,他問道:「蚯蚓先生,到海裏去是怎樣走的?」蚯蚓說:「你向東走,經過了江河,便到大海.」小水點聽了蚯蚓的話,慢慢向東面走.走了幾箇月,才回到原來的地方.

求雨

有一年,天時亢旱.齊景公對臣子們說:「要是再不下雨,齊國要鬧饑荒了.我想,快去求山神下雨罷.」臣子們都很贊成,晏嬰卻不以為然.他說:「土石,好比是

第74课 求雨

有一年，天时亢旱，齐景公对臣子们说：“要是再不下雨，齐国要闹饥荒了，我想，快去求山神下雨罢。”臣子们都很赞成，晏婴却不以为然。他说：“土石，好比是山神的身体。草木，好比是山神的须发。如今他的身体、须发，已经很枯焦了，要是他能够呼风唤雨，早已下过雨了，何必等着我们去求呢！”景公说：“那么该去求水神下雨。”晏婴说：“这也不必！江湖，好比是水神的国土，鱼鳖，好比

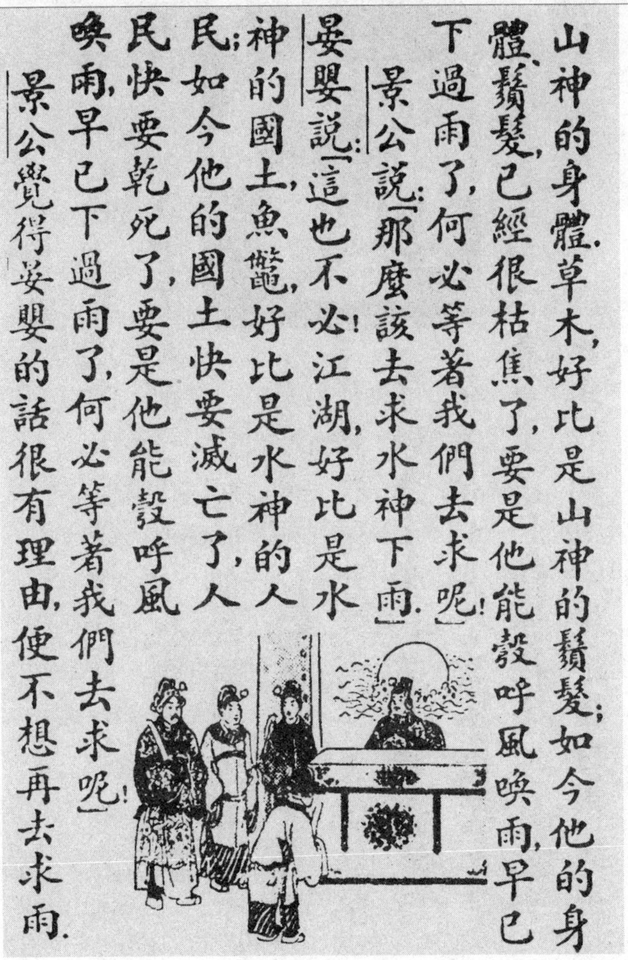

山神的身體，草木，好比是山神的鬚髮；如今他的身體、鬚髮已經很枯焦了，要是他能殼呼風喚雨，早已下過雨了，何必等著我們去求呢！」

景公說：「那麼該去求水神下雨。」

晏嬰說：「這也不必！江湖，好比是水神的國土，魚鼈，好比是水神的人民；如今他的國土快要滅亡了，人民快要乾死了，要是他能殼呼風喚雨，早已下過雨了，何必等著我們去求呢！」

景公覺得晏嬰的話很有理由，便不想再去求雨。

是水神的人民。如今他的国土快要灭亡了，人民快要干死了，要是他能够呼风唤雨，早已下过雨了，何必等着我们去求呢！”景公觉得晏婴的话很有理由，便不想再去求雨。

吴刚伐桂

月明的晚上，我們向天空眺望，見月中有幾箇斑點，這是火山、岩石的影子．但在古代，有幾箇傳說．漢朝時候，西河地方，有一个吴刚．他想做仙人，修練了幾年，已經得道了．不料，一天偶然犯了過失，上帝知道了，不肯饒恕他，罰他到月宮裏去做苦工．

月宮裏有一株五百丈高的桂樹，枝條很多，葉子很密，常把光綫遮沒．上帝叫吴刚把這株桂樹伐去．

第 75 课 吴刚伐桂

月明的晚上，我们向天空眺望，见月中有几个斑点，这是火山、岩石的影子。但在古代，有几个传说。汉朝时候，西河地方，有一个吴刚。他想做仙人，修练了几年，已经得道了。不料，一天偶然犯了过失，上帝知道了，不肯饶恕他，罚他到月宫里去做苦工。月宫里有一株五百丈高的桂树，枝条很多，叶子很密，常把光线遮没。上帝叫吴刚把这株桂树伐去。吴刚拿了巨斧，向那桂树不住的斫。说也奇怪，那桂树上的斧痕，随斫随平，没有方法把他伐去。直到现在，吴刚还在月宫中，做那永远不会成功的苦工。这段传说，叫做吴刚伐桂。

吳剛拿了巨斧,向那桂樹不住的斫.說也奇怪,那桂樹上的斧痕,隨斫隨平,沒有方法把他伐去.直到現在,吳剛還在月宮中,做那永遠不會成功的苦工.

這段傳說,叫做吳剛伐桂.

嫦娥奔月

有窮國的國王羿,向西王母取得了一種仙藥,人喫了,可以長生不死.羿的妻子嫦娥,是個慈善的人.他想我的丈夫十分兇暴,如果長生不死,人民要永遠受害.因此,他非常憂慮.

那天晚上,忽然有人喚醒他說:嫦娥,你不必憂慮.

第 76 课 嫦蛾奔月

有穷国的国王羿，向西王母取得了一种仙药，人吃了，可以长生不死。羿的妻子嫦娥，是个慈善的人。他想我的丈夫十分凶暴，如果长生不死，人民要永远受害，因此，他非常忧虑。那天晚上，忽然有人唤醒他说：“嫦娥，你不必忧虑。你只要把仙药给自己吃掉了，你的丈夫便不会永远作恶了。”嫦蛾一想不错，便把仙药暗暗吞服。说也奇怪，霎时间，嫦蛾已腾入云端。他看见一座水晶的宫殿，题着‘广寒宫’三个字。门口，站着一只白玉兔。他正在疑惑的时候，忽见一群

你只要把仙藥給自己喫掉了，你的丈夫便不會永遠作惡了.」嫦娥一想不錯，便把仙藥暗暗吞服.說也奇怪，霎時間，嫦娥已騰入雲端.他看見一座水晶的宮殿，題著「廣寒宮」三箇字.門口，站著一隻白玉兔.他正在疑惑的時候，忽見一羣仙女，出來迎接他說:「這是月宮，是光明快樂的世界，你快進去罷!」嫦娥進了月宮，飲食起居，都很舒服.但他恐怕他的丈夫，還在人間搗亂，所以常向下界眺望，希望得到可靠的和平消息.

這段傳說，叫做「嫦娥奔月.」

仙女，出来迎接他说：“这是月宫，是光明快乐的世界，你快进去吧！”嫦娥进了月宫，饮食起居，都很舒服，但他恐怕他的丈夫，还在人间捣乱，所以常向下界眺望，希望得到可靠的和平消息。这段传说，叫做“嫦娥奔月。”

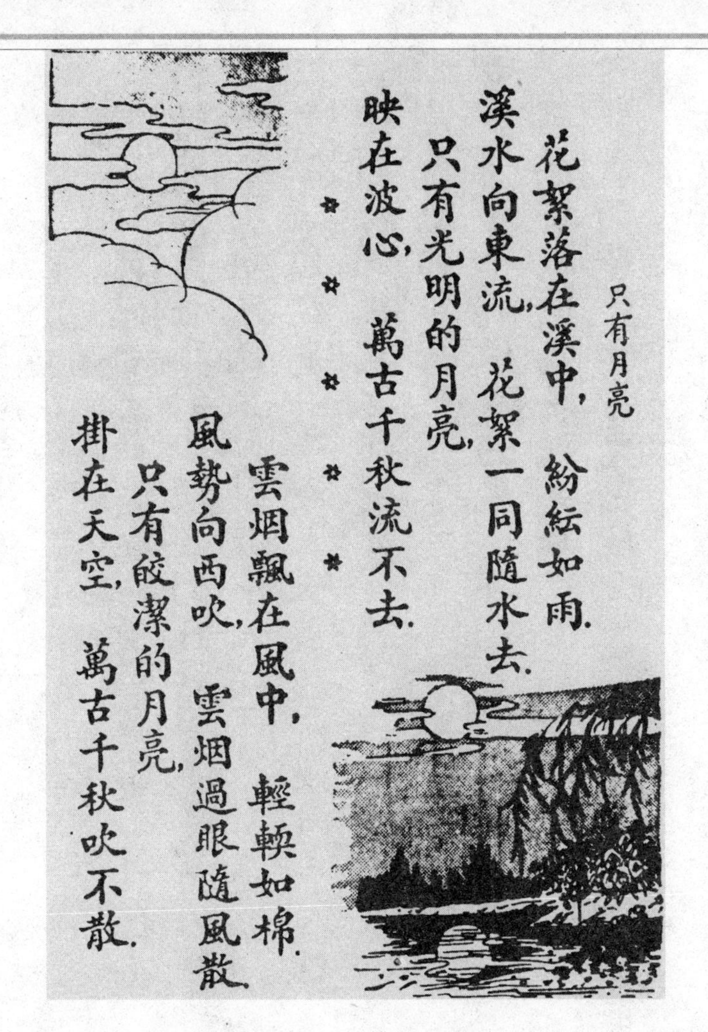
只有月亮

花絮落在溪中，紛紜如雨.

溪水向東流，花絮一同隨水去.

只有光明的月亮，

映在波心，萬古千秋流不去.

雲烟飄在風中，輕輭如棉.

風勢向西吹，雲烟過眼隨風散.

只有皎潔的月亮，

掛在天空，萬古千秋吹不散.

第 77 课 只有月亮

花絮落在溪中，纷纭如雨。溪水向东流，花絮一同随水去。只有光明的月亮，映在波心，万古千秋流不去。云烟飘在风中，轻软如棉。风势向西吹，云烟过眼随风散。只有皎洁的月亮，挂在天空，万古千秋吹不散。

千人糕(一)

星期日，呂傑家裏開茶話會.呂傑拏出一盤桂花白糖豬油雞蛋糕，對小朋友們說：「請嘗嘗這千人糕」.一个小朋友說：「甚麼叫做千人糕」?呂傑說：「因為是一千个人做成的，所以叫千人糕」.小朋友們很詫異，都說：「這不是普通的雞蛋糕嗎?怎麼會是一千个人做成的呢」?呂傑笑道：「因為蛋糕是麥粉做成的.種麥，要有農人;磨

第78课 千人糕

星期日，吕杰家里开茶话会。吕杰拿出一盘桂花白糖猪油鸡蛋糕，对小朋友们说："请尝尝这千人糕。"一个小朋友说："什么叫做千人糕？"吕杰说："因为是一千个人做成的，所以叫千人糕。"小朋友们很诧异，都说："这不是普通的鸡蛋糕吗？怎么会是一千个人做成的呢？"吕杰笑道："因为蛋糕是麦粉做成的。种麦要有农人；磨粉，要有磨夫；蒸糕，要有厨子。并且农夫种麦，要用铁锄；那些打锄的铁匠，装锄柄的木工，也要有许多人。还有从矿中挖出铁来的矿

粉，要有磨夫；蒸糕，要有廚子．並且農夫種麥，要用鐵鋤；那些打鋤的鐵匠，裝鋤柄的木工，也要有許多人．還有從礦中挖出鐵來的礦夫，搬鐵到工廠的扛夫，又要有多少人呢？鐵如果要用火車裝運出去，那麼造鐵路的工匠，管理鐵路的站員，和開車的機匠，又要有多少人呢？

千人糕（二）

呂傑稍微停頓了一下，又繼續說：「磨粉，要用石磨；那當然又要有許多採石的工人，和鑿磨的石匠．粉磨好了，要用篩子篩；做篩子，要用竹絲和細絹；試問，

夫，搬铁到工厂的扛夫，又要有多少人呢？铁如果要用火车装运出去，那么造铁路的工匠，管理铁路的站员，和开车的机匠，又要有多少人呢？”

吕杰稍微停顿了一下，又继续说：“磨粉，要用石磨；那当然又要有许多采石的工人，和凿磨的石匠。粉磨好了，要用筛子筛；做筛子要用竹丝和细绢；试问，那些种竹、劈丝、养蚕、织绢、做筛的人，又该要有多少呢？这糕里还有桂花、猪油、白糖、鸡蛋黄，我们再计

那些種竹、劈絲、養蠶、織絹、做篩的人，又該要有多少呢？這糕裏還有桂花、豬油、白糖、雞蛋黃，我們再計算那些種桂樹，採桂花，種甘蔗，製白糖，以及養豬，養雞的人，又該要有多少呢？」

這時，大家聽呆了，忙止住他道：「彀了，不要說罷！」

呂傑笑道：「我還只說了一小半，其餘蒸糕用的器具多得很呢，如打蒸籠，鑄鍋子，砌竈，斫柴，那一樣不要有許多人？也許製成一塊糕，還不止一千个人呢！」

油炸燴的傳說

油條，也叫油炸燴，是用麪粉做了長條，放在油鍋

算那些种桂花树、采桂花、种甘蔗，制白糖以及养猪、养鸡的人，又该要多少呢？”这时，大家听呆了，忙止住他道：“够了，不要说吧！”

吕杰笑道：“我还只说了一小半，其余蒸糕用的器具多得很呢，如打蒸笼、铸锅子、砌灶、斫柴，那一样不要许多人？也许制成一块糕，还不止一千个人呢！”

裏炸過的一種食品.這種食品的由来.有一段傳説.
宋朝時候,金國人来侵略中國的土地.大將岳飛,
領兵去抵抗.連接打了幾次勝仗,金國人大懼.不料,
奸臣秦檜,和金國私通,借了皇帝的命令,召回岳飛,
把他害死.
當時,人民痛恨秦檜.有幾个
激烈的人,便用麪粉做成了長
條,當作秦檜,放到油鍋裏去炸.
然後再喫到肚子裏去,借此出
口氣.不過當時不敢叫他「油炸

第79课 油炸烩的传说

油条也叫油炸烩，是用面粉做了长条，放在油锅里炸过的一种食品。这种食品的由来，有一段传说。宋朝时候，金国人来侵略中国的土地。大将岳飞，领兵去抵抗，连接打了几次胜仗，金国人大惧。不料，奸臣秦桧，和金国私通，借了皇帝的命令，召回岳飞，把他害死。当时，人民痛恨秦桧。有几个激烈的人，便用麦粉做成了长条，当作秦桧，放到油锅里去炸，然后再吃到肚子里去，借此出口气。不过当时不敢叫他“油炸桧”，所以取了一个同音的字，叫做“油炸烩。”

燴，所以取了一箇同音的字，叫做「油炸燴」.

兩種點心

菊仙對林鶴說：「我要請你喫一碗點心；但是，先要請你猜一箇謎語.」林鶴說：「好的，請你給我猜罷！」菊仙說：「白布包麝香，像耳朵模樣，甩在海中央，聽見潮水漲，忙把鐵網張.——這是甚麼東西？」林鶴想了一想說：「這不是餛飩嗎？」菊仙說：「是的.」

接著，林鶴又說：「我也有一箇謎語，請你猜；你猜着了，就請你喫這種點心.」菊仙說：「好極了，你快說！」林鶴說：「身穿箬衣服，絲帶腰裏束，解開了絲帶，剝去了衣

第 80 课 两种点心

菊仙对林鹤说：“我要请你吃一碗点心；但是，先要请你猜一个谜语。”林鹤说：“好的，请你给我猜吧！”菊仙说：“白布包麝香，像耳朵模样。甩在海中央，听见潮水涨，忙把铁网张。——这是什么东西？”林鹤想了一想说：“这不是馄饨吗？”菊仙说“是的。”接着，林鹤又说：“我也有一个谜语，请你猜；你猜着了，就请你吃这种点心。”菊仙说：“好极了，你快说！”林鹤说：“身穿箬衣服，丝带腰里束，解开了丝带，剥去了衣服，全体珍珠肉。——这是什么东西？”菊仙思索了一会说：“一定是粽子。”林鹤点点头道：“不错！”

服。全體珍珠肉。——這是甚麼東西？」菊仙思索了一會說：「一定是粽子。」林鶴點點頭道：「不錯！」

膽大的老鴉

農夫做了一个草人，放在田邊，驅逐害稻的鳥。一羣小鴉，飛到田裏，看見了草人，連忙回到巢裏。老鴉說：「你們怎麼不去尋食喫？」小鴉們說：「田裏有一

第 81 课 胆大的老鸦

农夫做了一个草人，放在田边，驱逐害稻的鸟。一群小鸦，飞到田里，看见了草人，连忙回到巢里。老鸦说："你们怎么不去寻食吃？"小鸦们说："田里有一个人。执着扇子，擎着竹竿，摇摇摆摆，十分可怕。所以，我们都逃回来了。"老鸦伸长了脖子，向田里望了一会，笑道："那是一个草人，有什么可怕！你们瞧，我去站在他的头上。"说罢，老鸦果然飞到田里，停在草人的帽子上。他很骄傲的唱道："哇

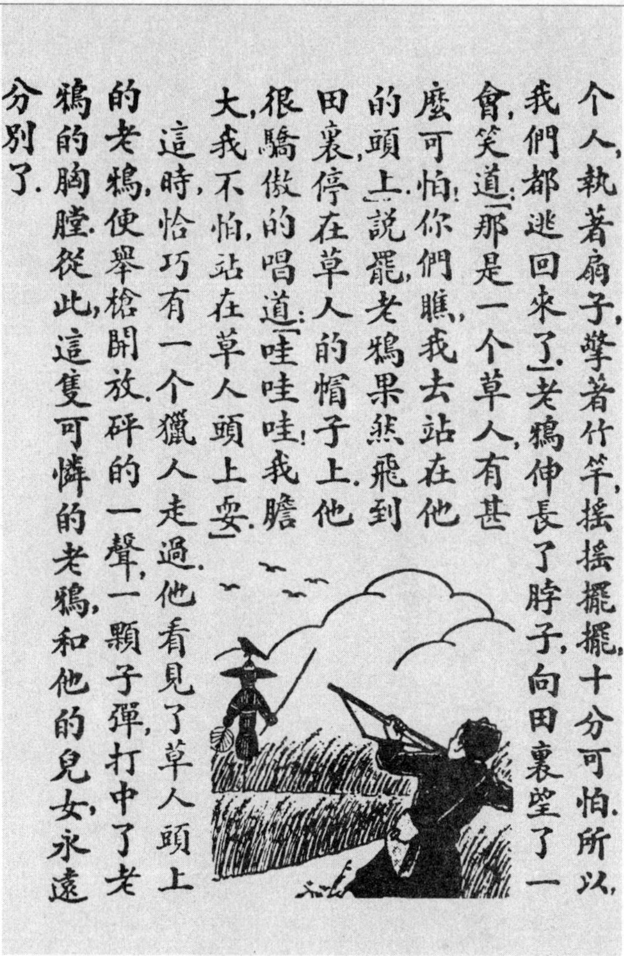

个人,執著扇子,擎著竹竿,搖搖擺擺,十分可怕.所以,我們都逃回來了.」老鴉伸長了脖子,向田裏望了一會,笑道:「那是一个草人,有甚麼可怕!你們瞧,我去站在他的頭上.」說罷,老鴉果然飛到田裏,停在草人的帽子上.他很驕傲的唱道:「哇哇哇!我膽大,我不怕,站在草人頭上耍.」

這時,恰巧有一个獵人走過.他看見了草人頭上的老鴉,便舉槍開放.砰的一聲,一顆子彈,打中了老鴉的胸膛.從此,這隻可憐的老鴉,和他的兒女永遠分別了.

哇哇！我胆大，我不怕，站在草人头上耍。”这时恰巧有一个猎人走过。他看见了草人头上的老鸦，便举枪开放。砰的一声，一颗子弹，打中了老鸦的胸膛。从此，这只可怜的老鸦，和他的儿女永远分别了。

稻草人

稻草人，田中立。披蓑衣，戴箬笠。
左手揮著大蒲扇，右手舞著小紙旗。
莫問霜露濃，那怕雨雪急。
為了保護農作物，草人朝暮不休息。

害稻蟲，偷穀鳥，見識淺，膽量小。
草人身體搖幾搖，蟲兒、鳥兒四散逃。
家家莊稼多，處處穗頭飽。
待到秋来收成好，草人功劳真不小。

第82课 稻草人

稻草人，田中立，披蓑衣，戴箬笠。左手挥着大蒲扇，右手舞着小纸旗。莫问霜露浓，哪怕雨雪急。为了保护农作物，草人朝暮不休息。害稻虫，偷谷鸟，见识浅，胆量小。草人身体摇几摇，虫儿、鸟儿四散逃。家家庄稼多，处处穗头饱。待到秋来收成好，草人功劳真不小。

怎可併在一起算

有一年，天氣亢旱，田禾祇有二分收成．農民已經不彀自給，可是縣官仍舊派了人，到鄉下去催租．農民們沒法可想，便舉一个年青能幹的人，叫他做農民的代表，去見縣官，請求豁免本年的錢糧．

農民的代表，到了衙門裏，縣官問他道：「今年有多少收成」？代表道：「春季有八分收成，秋季天旱，祇有二分收成」．縣官道：「春季既然有八分

第83课 怎可并在一起算

有一年，天气亢旱，田禾只有二分收成。农民已经不够自给，可是县官仍旧派了人，到乡下去催租。农民们没法可想，便举一个年青能干的人，叫他做农民的代表，去见县官，请求豁免本年的钱粮。农民的代表，到了衙门里，县官问他道：“今年有多少收成？”代表道：“春季有八分收成，秋季天旱，只有二分收成。”县官道：“春季既然有八分收成，加上秋季的二分，不就是十足年成吗？——你的

收成，加上秋季的二分，不就是十足年成嗎？——你的年紀很輕，不能和我說話，快去叫老年的人來！」代表道：「我就是本村最老的人，已經八十五歲了。」縣官怒道：「你明明祇有二十歲左右，怎敢欺騙我！」代表坦然道：「我的父親，今年六十六歲，我今年十九歲，兩下合併，不是八十五歲嗎？」縣官拍案大怒道：「誰說父子的年紀可以合併的！」代表笑道：「那麼，春季和秋季的收成，怎可併在一起算呢？」

舌頭

年纪很轻，不能和我说话，快去叫老年的人来！”代表道：“我就是本村最老的人，已经八十五岁了。”县官怒道：“你明明只有二十岁左右，怎敢欺骗我！”代表坦然道：“我的父亲，今年六十六岁，我今年十九岁，两下合并，不是八十五岁吗？”县官拍案大怒道：“谁说父子的年纪可以合并的！”代表笑道：“那么，春季和秋季的收成，怎可并在一起算呢？”

桑塞士要請客,叫伊索辦一桌最好的菜.客人入席後,伊索送上一盤紅燒豬舌頭;接着,又送上一盤清燉羊舌頭;隔了一會,又送上一盤油炸牛舌頭.他陸續送上了六盤菜,都是各種舌頭,別的一樣也沒有.

桑塞士說:「我叫你辦最好的菜,你怎麼燒了許多舌頭呢?」

伊索說:「舌頭,是世界上最好的東西.我們有了舌

第 84 课 舌头

桑塞士要请客，叫伊索办一桌最好的菜。客人入席后，伊索送上一盘红烧猪舌头。接着，又送上一盘清炖羊舌头；隔了一会，又送上一盘油炸牛舌头。他陆续送上了六盘菜，都是各种舌头，别的一样也没有。桑塞士说：“我叫你办最好的菜，你怎么烧了许多舌头呢？”伊索说：“舌头是世界上最好的东西。我们有了舌头可以说话，可以尝味，

頭,可以說話,可以嘗味,又可以傳達知識、學問.」

桑塞士笑道:「那麼,你明天再辦一桌你以為最壞的菜,給大家嘗嘗.」

到了明天,伊索辦的菜和昨天一樣,又是六盤舌頭.桑塞士責問伊索說:「昨天你說最好的菜是舌頭,怎麼今天又把舌頭當做最壞的菜呢?」

伊索說:「舌頭,又是世界上最壞的東西.人類的虛偽、詐欺、陰私……一切罪惡,都是舌頭攪拌出來的.」

口的罷工和復工

口、胃、腸,是三個擔任消化食物的機關,他們各自

又可以传达知识、学问。”桑塞士笑道:“那么,你明天再办一桌你以为最坏的菜,给大家尝尝。”到了明天,伊索办的菜和昨天一样,又是六盘舌头。桑塞士责问伊索说:“昨天,你说最好的菜是舌头,怎么今天又把舌头当做最坏的菜呢?”伊索说:“舌头,又是世界上最坏的东西。人类的虚伪、诈欺、阴私……一切罪恶,都是舌头搅拌出来的。”

做著分內的事情.
有一回,胃餓得很,口就吃了一碗冷飯.口把冷飯咀嚼一下,就急促地嚥下胃去.胃見是一種囫圇的東西,費了很多力量,才把飯粒拌爛.腸接受了,又費了許多力量,才把爛飯消化;可是疲乏得很.腸很惱怒,怨胃道:「誰叫你輸送不純熟的東西來?」胃也怨口道:「誰叫你塞下囫圇的東西來?」口無氣可出,他想:我救了人家的餓,反受責備,我只好罷工了.

第 85 课　口的罢工和复工

口、胃、肠，是三个担任消化食物的机关，他们各自做着分内的事情。有一回，胃饿得很，口就吃了一碗冷饭。口把冷饭咀嚼一下，就急促地咽下胃去。胃见是一种囫囵的东西，费了很多力量，才把饭粒拌烂。肠接受了，又费了许多力量，才把烂饭消化；可是疲乏得很。肠很恼怒，怨胃道：“谁叫你输送不纯熟的东西来？”胃也怨口道：“谁

口罷了工，經過兩天，腸疲了，胃餓了，口也饞了，大家都不舒服。腦看不過，對口下勸告，說：「口啊！你不要鬬氣，你應當叫牙齒細細咀嚼，讓唾液融化了飯粒，然後嚥下去！」口聽了，自知錯誤，連忙復工。

口的不平

耳朵、眼睛、手、腳，都生著一對。某天，大家談論著自己的任務。

耳朵說：「我倆的任務是聽。要把各方面的聲音報告腦筋，一個是不彀的；並且要辨不清聲音的來源，發生危險。」

叫你塞下囫囵的东西来？”口无气可出，他想：我救了人家的饿，反受责备，我只好罢工了。口罢了工，经过两天，肠疲了，胃饿了，口也馋了，大家都不舒服。脑看不过，对口下劝告，说：“口啊！你不要斗气，你应当叫牙齿细细咀嚼，让唾液融化了饭粒，然后咽下去！”口听了，自知错误，连忙复工。

眼睛說：「我倆的任務是看．單獨看東西，往往不準確，不清楚．況且經不起長久的注視．」

手說：「我倆的任務是做生產的工作很多，一個是決不能應付的．」

腳說：「我倆的任務是走．獨腳是不能平均支撐全身，並且不便走路的．」

口在旁聽見了，有些惱怒，就說：「你們的任務，都只有一種，卻生著兩個：我的任務，明明有兩種，——吃東西和說話——卻只生著一個：不是太不平嗎？」

第 86 课 口的不平

耳朵、眼睛、手、脚，都生着一对。某天，大家谈论着自己的任务。耳朵说：“我俩的任务是听。要把各方面的声音报告脑筋，一个是不够的；并且要辨不清声音的来源，发生危险。”眼睛说：“我俩的任务是看。单独看东西，往往不准确，不清楚。况且经不起长久的注视。”手说：“我俩的任务是做生产的工作很多，一个是决不能应付的。”脚说：“我俩的

腦說：「你「一身而兼二任，」固然很辛苦；但是你莫惱．
有一句古話，叫「病從口入，」你只生著一個，是叫你少
吃妨害身體的東西；否則你便要闖禍了！」

好厲害的晏先生(一)

佈景：楚國的城外．

人物：齊國的使者晏嬰．楚國的大臣甲、乙．
工人．

開幕時：甲、乙兩大臣監督工人，挖掘城牆．牆上，
已經挖成一箇小洞．

甲 齊國派一个矮子晏嬰，出使到我國來，我們要

任务是走。独脚是不能平均支撑全身，并且不便走路的。”口在旁听见了，有些恼怒。就说：“你们的任务，都只有一种，却生着两个。我的任务，明明有两种——吃东西和说话——却只生着一个：不是太不平吗？”脑说：“你‘一身而兼二任’，固然很辛苦；但是你莫恼。有一句古话，叫‘病从口入’，你只生着一个，是叫你少吃妨害身体的东西；否则你便要闯祸了！”

羞辱他一番才好.

乙 是呀!等他来的時候,我們叫他從小洞裏鑽進

去,這樣也足穀羞辱他了.

甲 你看呀!那邊過来的,不是齊國的使者嗎?

乙 哈哈!真是一个矮子,牆上的洞,還嫌太大呢!

(晏嬰已走到城門口,和楚國的大臣互相行禮.

大臣甲,指點小洞,招呼晏嬰.)

甲 請!請!請從這洞裏鑽進去罷!

晏嬰 貴國靠著國勢強大怎敢這樣無禮,侮辱鄰

國的使者?

第 87 课 好厉害的晏先生

布景：楚国的城外。人物：齐国的使者晏婴。楚国的大臣甲、乙、工人。开幕时：甲、乙两大臣监督工人，挖掘城墙。墙上，已经挖成一个小洞。甲：齐国派一个矮子晏婴，出使到我国来，我们要羞辱他一番才好。乙：是呀！等他来的时候，我们叫他从小洞里钻进去，这样也足够羞辱他了。甲：你看呀！那边过来的，不是齐国的使者吗？乙：哈哈！真是一个矮子，墙上的洞，还嫌太大呢？（晏

乙：不！我們並不是侮辱使者．因為我國有一箇規矩：大人走大門，小人走小洞．大使既然是矮小的人，只好從小洞進城．

晏嬰：哈哈！原來如此．那麼我們齊國也有一箇規矩：出使到狗國去，只好照他們的習慣，從小洞裏鑽進去．楚國難道也是狗國嗎？如果是狗國，我當然可以從小洞進城的．

甲：哈哈！不要動氣，這是和你開玩笑的！

乙：請！請！請從大門進城罷！

（甲、乙兩大臣領晏嬰進城．）

婴已走到城门口，和楚国的大臣互相行礼。大臣甲，指点小洞，招呼晏婴）甲：请！请！请从这洞里钻进去罢！晏婴：贵国靠着国势强大，怎敢这样无礼，侮辱邻国的使者？乙：不！我们并不是侮辱使者，因为我国有一个规矩：大人走大门，小人走小洞。大使既然是矮小的人，只好从小洞进城。晏婴：哈哈！原来如此，那么我们齐国也有一个规矩：出使到狗国去，只好照他们的习惯，从小洞里

工人　好厲害的晏先生！（幕下）

好厲害的晏先生（二）

佈景：楚國的宮殿.

人物：晏嬰．楚王．侍從．衛兵．犯人．

開幕時：楚王坐在殿上，侍從站在兩旁，晏嬰上殿參見.

楚王　你就是齊國的使臣嗎？

晏嬰　是！是！我是齊國的使臣——晏嬰.

楚王　哈哈！齊國難道沒有人了？

晏嬰　說那裏話！齊國的人民，祇要大家把袖子張

钻进去，楚国难道也是狗国吗？如果是狗国，我当然可以从小洞进城的。甲：哈哈！不要动气，这是和你开玩笑的！乙：请！请！请从大门进城吧！（甲、乙两大臣领晏婴进城）工人：好厉害的晏先生！（幕下）

布景：楚国的宫殿。人物：晏婴、楚王、侍从、卫兵、犯人。开幕时：楚王坐在殿上，侍从站在两旁，晏婴上殿参见。楚王：你就是

起来，就可障蔽青天；假使每个人揮一滴汗，就和下雨一般，怎説沒有人呢？

楚王　哦！齊國既然有這樣多的人民，為甚麼派你這个矮子来呢？

晏嬰　齊國派使臣，有一箇標準：能幹的人，派到強大的國家去；沒用的人，派到弱小的國家去。像我這樣的人，祇能到楚國来。

（衛兵牽着一个犯人，走過殿下，楚王問侍從。）

楚王　這个犯人是那裏人，犯了甚麼罪？

侍從　齊國人，是一个盜犯。

齐国的使臣吗？晏婴：是！是！我是齐国的使臣——晏婴。楚王：哈哈！齐国难道没有人了？晏婴：说那里话！齐国的人民，只要大家把袖子张起来，就可障蔽青天；假使每个人挥一滴汗，就和下雨一般，怎说没有人呢？楚王：哦！齐国既然有这样多的人民，为什么派你这个矮子来呢？晏婴：齐国派使臣，有一个标准：能干的人，派到强大的国家去；没用的人，派到弱小的国家去。像我这样的人只能到楚国

楚王　晏先生，你們齊國人，怎麼這樣不知自愛？

晏嬰　這有一箇原因：橘樹生在淮水以南，都會產生很好的橘子；要是種到淮水以北，便變成很壞的枳子。這是因為水土不同。我們齊國人，在本國沒有一个為非作歹的；到了貴國，就做強盜，也是這箇緣故。

楚王　好厲害的晏先生！

（幕下）

完璧歸趙(一)

趙國的惠文王，得到一塊和氏寶璧。秦國的昭王曉得了，叫人送一封信給惠文王，說願意畫出十五

来。（卫兵牵着一个犯人，走过殿下，楚王问侍从）楚王：这个犯人是哪里人，犯了什么罪？侍从：齐国人，是一个盗犯。楚王：晏先生，你们齐国人，怎么这样不知自爱？晏婴：这有一个原因：橘树生在淮水以南，都会产生很好的桔子；要是种到淮水以北，便变成很坏的枳子。这是因为水土不同。我们齐国人，在本国没有一个为非作歹的；到了贵国，就做强盗，也是这个缘故。楚王：好厉害的晏先生！（幕下）

箇城邑，調換和氏寶璧。
秦國素來有仗勢欺人的惡名。惠文王接到了昭
王的信，非常恐慌。便和藺相如商量道：「昭王要拏十
五箇城邑，調換和氏寶璧，這件事，你看可以允許嗎？」
藺相如道：「秦國強，趙國弱，這件事，我看不可不允
許。」
惠文王道：「只怕他拏了寶璧，不肯把城邑給我。」
藺相如道：「秦國拏城邑來換寶璧，如果趙國不允
許，是趙國的不義；趙國願意交換，如果秦國不肯畫
出城邑，是秦國的不信。我們當用誠意待人，把寶璧

第 88 课　完璧归赵

赵国的惠文王，得到一块和氏宝璧。秦国的昭王晓得了，叫人送一封信给惠文王，说愿意画出十五个城邑，调换和氏宝璧。秦国素来有仗势欺人的恶名。惠文王接到了昭王的信，非常恐慌。便和蔺相如商量道：“昭王要拿十五个城邑，调换和氏宝璧，这件事，你看可以允许吗？”蔺相如道：“秦国强，赵国弱，这件事，我看不可不允许。”惠文王道：“只怕他拿了宝璧，不肯把城邑给我。”蔺相如道：“秦国拿城邑来换宝璧，如果赵国不允许，是赵国的不义；赵国愿意交换，

送去.
惠文王道:「誰能把寶璧送往秦國去呢?」
藺相如道:「我願意去.我一定要使秦國畫出的城
邑,先入了趙國的版圖,才把寶璧留在秦國.否則,仍
把寶璧送回來.」
惠文王便叫藺相如拏了和氏寶璧,出使到秦國
去.

完璧歸趙(二)

藺相如見了昭王,把寶璧送上.昭王看了幾遍,連
稱好璧,便給后妃、臣下傳觀,卻不提畫城調換的話.

如果秦国不肯画出城邑，是秦国的不信。我们当用诚意待人，把宝璧送去。”惠文王道：“谁能把宝璧送往秦国去呢？”蔺相如道：“我愿意去。我一定要使秦国画出的城邑，先入了赵国的版图，才把宝璧留在秦国。否则，仍把宝璧送回来。”惠文王便叫蔺相如拿了和氏宝璧，出使到秦国去。

蔺相如见了昭王，把宝璧送上。昭王看了几遍，连称好璧，便给后妃、臣下传观，却不提画城调换的话。蔺相如晓得上当，便说：“宝璧虽然好，可惜有些瑕点。”昭王听说，便把宝璧授给相如，叫他指示瑕点所在。蔺相如接了宝璧，立在殿柱旁边说：“我见大王无意画城调

藺相如曉得上當，便說：「寶璧雖然好，可惜有些瑕點.」昭王聽說，便把寶璧授給相如，叫他指示瑕點所在.藺相如接了寶璧，立在殿柱旁邊，說：「我見大王無意畫城調換，應當把寶璧取還.如果大王要用強力奪取寶璧，我願把腦袋和寶璧，一同在柱上撞碎.」昭王恐怕寶璧毀壞，連忙說：「十五箇城邑的地圖，一定交給你.」藺相如說：「大王既然有誠意，那就好了.不過，我送

换，应当把宝璧取还。如果大王要用强力夺取宝璧，我愿把脑袋和宝璧，一同在柱上撞碎。”昭王恐怕宝璧毁坏，连忙说：“十五个城邑的地图，一定交给你。”蔺相如说：“大王既然有诚意，那就好了。不过，我送宝璧来的时候，惠文王曾经斋戒五天，表示诚意。现在，也请大王斋戒五天，然后受璧。”昭王想骗取宝璧，便假意答应。那天晚上，蔺相如随即叫人把宝璧送回赵国。隔了五天，去见昭王说：“大王既然无意画城调换，赵国的宝璧，已经送回本国去了。如果大王动怒，请随便处置我罢！”昭王想就是把他杀了，也不能得到宝璧，只得叫他回去。

寶璧來的時候,惠文王曾經齋戒五天,表示誠意.現在,也請大王齋戒五天,然後受璧.昭王想騙取寶璧,便假意答應.

那天晚上,藺相如隨即叫人把寶璧送回趙國.隔了五天,去見昭王說:「大王既然無意畫城調換,趙國的寶璧,已經送回本國去了.如果大王動怒,請隨便處置我罷.」昭王想就是把他殺了,也不能得到寶璧,只得叫他回去.

三三 為國出力

趙王因為藺相如的功勞大,就拜他做上卿,職位

第89课 为国出力

赵王因为蔺相如的功劳大，就拜他做上卿，职位在武将廉颇之上。廉颇心里不服，对人说：“我有攻城御敌的大功，蔺相如不过靠着一张嘴，胡说乱道，却占了上风。我若遇见了他，定要当面羞辱他一番。”蔺相如知道了，就不肯和廉颇见面。有时他坐车出门，望见了廉颇，就叫车夫绕道避去。蔺相如门下的人说：“你和廉颇都是赵国的大臣，你怎么怕他呢？”蔺相如说：“我见了秦王还不怕，难道会怕廉将军吗？不过我想虎狼似的秦国，所以不敢侵略赵国，就

在武将廉頗之上.

廉頗心裏不服,對人說:「我有攻城禦敵的大功;藺相如不過靠着一張嘴,胡說亂道,卻佔了上風.我若遇見了他,定要當面羞辱他一番.」藺相如知道了,就不肯和廉頗見面.有時他坐車出門,望見了廉頗,就叫車夫繞道避去.

藺相如門下的人說:「你和廉頗都是趙國的大臣,你怎麼怕他呢?」藺相如說:「我見了秦王還不怕,難道會怕廉將軍嗎?不過我想虎狼似的秦國,所以不敢侵略趙國,就因為有我和廉將軍在位;要是我和廉

因为有我和廉将军在位；要是我和廉将军发生了意见，国事还堪设想吗？所以我愿捐除私怨，共同为国家出力。”这一番话给廉颇听得了，十分惭愧，连忙到蔺相如那里请罪。从此，两人做了最要好的朋友。

將軍發生了意見，國事還堪設想嗎？所以我願捐除私怨，共同為國家出力。」

這一番話給廉頗聽得了，十分慚愧，連忙到藺相如那裏請罪。從此，兩人做了最要好的朋友。

木蘭代父從軍

古時候，有一个勇敢的女子，名叫木蘭。有一年，國王要徵兵去打仗；木蘭的父親，也在被徵之列。木蘭想父親已經衰老，不能上戰場去打仗。他就扮做男子，代替父親，跨馬執戟，加入出征的軍隊。

第90课 木兰代父从军

古时候，有一个勇敢的女子，名叫木兰。有一年，国王要征兵去打仗；木兰的父亲，也在被征之列。木兰想父亲已经衰老，不能上战场去打仗。他就扮做男子，代替父亲，跨马执戟，加入出征的军队。军队开到了北方的边界，抵抗敌兵。过了十二年，才把敌兵打退，得胜回来。可是领兵的将官，同伍的军人，谁也没有觉察木兰是个女子。国王见木兰立了功劳，就赏他许多财物，他不受；封他做官，他也不要。国王说："你要什么东西呢？"木兰说："我离家已久，很想念爹娘。如

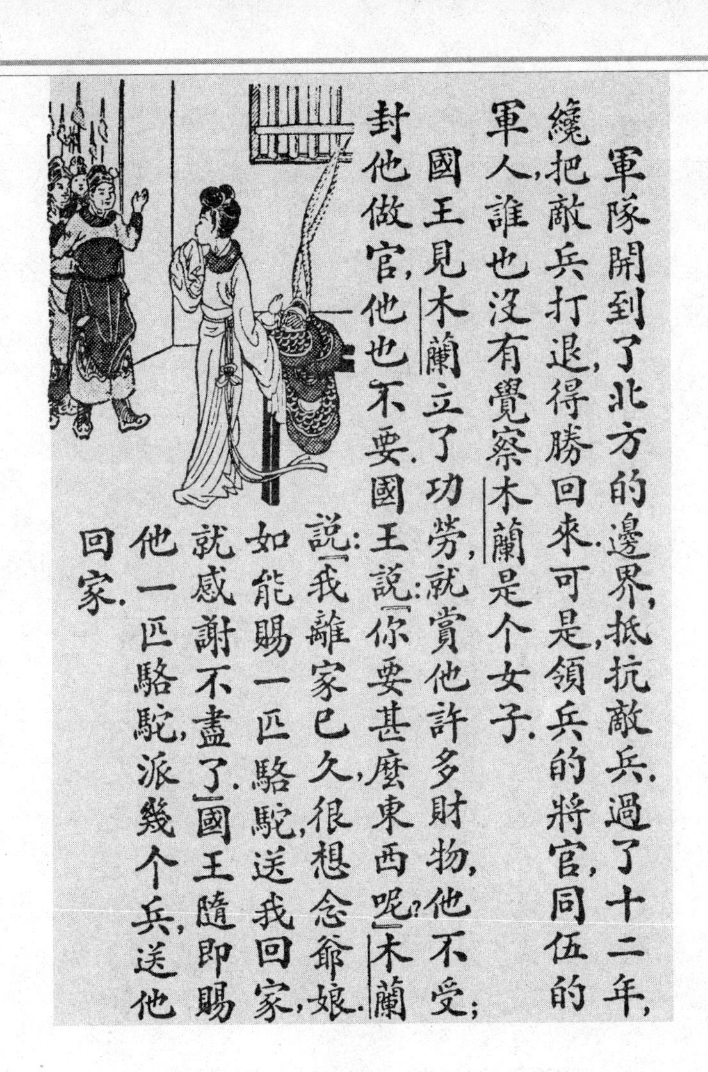
軍隊開到了北方的邊界,抵抗敵兵.過了十二年,纔把敵兵打退,得勝回來.可是領兵的將官,同伍的軍人,誰也沒有覺察木蘭是个女子.

國王見木蘭立了功勞,就賞他許多財物,他不受;封他做官,他也不要.國王說:「你要甚麼東西呢?」木蘭說:「我離家已久,很想念爺娘.如能賜一匹駱駝,送我回家,就感謝不盡了.」國王隨即賜他一匹駱駝,派幾个兵,送他回家.

能赐一匹骆驼，送我回家，就感谢不尽了。”国王随即赐他一匹骆驼，派几个兵，送他回家。木兰到了家里，脱去战袍，穿上女装，恢复他的本来面目。送他回家的兵士瞧见了，很诧异，说道。“我们和他同在军队里过了十二年，竟没有觉察他是个女子。”

木蘭到了家裏，脱去戰袍，穿上女裝，恢復他的本來面目．送他回家的兵士瞧見了，很詫異，説道．「我們和他同在軍隊裏過了十二年，竟沒有覺察他是个女子．

對屋柱説話

幾百年前，奧國壓迫瑞士的時候，有一个瑞士的孩子，偶然走過奧國的兵營，聽得裏面正在計議攻打那孩子住的城池．他想跑回去報告，忽然營裏竄出一个奧兵，將他捉住．奧兵見他年紀很小，不忍殺他，便叫他立一箇誓，永遠不把聽得的話，告訴別人．

第 91 课 对屋柱说话

几百年前，奥国压迫瑞士的时候，有一个瑞士的孩子，偶然走过奥国的兵营，听得里面正在计议攻打那孩子住的城池。他想跑回去报告，忽然营里窜出一个奥兵，将他捉住。奥兵见他年纪很小，不忍杀他，便叫他立一个誓，永远不把听得的话，告诉别人。那孩子在强权胁迫下面，只得答应了。孩子逃出了奥国的兵营，他想我如果把这事告诉别人，自然是失了信；可是如果不宣布，我的家乡便要被奥兵糟蹋了。他想了一会，急忙到市政厅去。这时，市政委员正在开会，他

那孩子在強權脅迫下面,只得答應了.

孩子逃出了奧國的兵營,他想我如果把這事告訴別人,自然是失了信;可是,如果不宣佈,我的家鄉便要被奧兵糟蹋了.他想了一會,急忙到市政廳去.

這時,市政委員正在開會,他便對屋柱說:『屋柱呀,奧兵快要打來了,我們趕緊豫備罷!——因為我立過誓,不告訴別人,所以只好對你下箇警告.市政委員得了這箇消息,立刻去調了

便对屋柱说:“屋柱呀,奥兵快要打来了。我们赶紧预备吧!——因为我立过誓,不告诉别人,所以只好对你下个警告。”市政委员得了这个消息,立刻去调了一队兵,预先防御。

一隊兵，豫先防禦。

蜂房助戰

西曆一千七百八十一年的五月裏，正是美國宣佈獨立，和英國交戰劇烈的時候。英國兵開到了美國，每天只是東搶西劫；一般無辜的居民，時時刻刻受著無限的恐怖。有一天，一隊英國的騎兵，開到佛及尼亞地方，想搶劫那箇村莊上的糧食和牲口。正在動手的時候，忽見前面有一隊民軍。他們立刻上馬，加鞭衝鋒，要給民軍一箇迎頭痛擊。

第92课 蜂房助战

西历一千七百八十一年的五月里，正是美国宣布独立，和英国交战剧烈的时候。英国兵开到了美国，每天只是东抢西劫；一般无辜的居民，时时刻刻受着无限的恐怖。有一天，一队英国的骑兵，开到佛及尼亚地方，想抢劫那个村庄上的粮食和牲口。正在动手的时候，忽见前面有一队民军。他们立刻上马，加鞭冲锋，要给民军一个迎头痛

村莊上有一个十五歲的孩子，名叫傑克，他曉得了這件事，便悄悄地到農場上，取了十幾箇蜂房，守候在門口．等到英兵經過的時候，他把蜂房，拋在路上．頓時，成千累萬的蜜蜂，發狂似的四下飛散，混雜在騎兵隊中，向著人馬亂刺，攪得英兵的秩序大亂．結果，四百多个英兵，都被民軍捉住．

击。村庄上有一个十五岁的孩子，名叫杰克。他晓得了这件事，便悄悄地到农场上，取了十几个蜂房，守候在门口。等到英兵经过的时候，他把蜂房抛在路上。顿时，成千累万的蜜蜂，发狂似的四下飞散，混杂在骑兵队中，向着人马乱刺，搅得英兵的秩序大乱。结果四百多个英兵，都被民军捉住。

嘉賢給獻聖的信

獻聖表兄:
我校預定在下星期日——十一月二十八日——開遊藝會.這一次的遊藝會,注重表演平日學習的成績,全校各級都要加入,所以节目有三十多種.
我們一級,決定表演「晏子使楚」和「完璧歸趙」的故事.在晏子使楚的故事中,我扮一个晏嬰.可是晏嬰是很有辯才的,像我這樣不會说话的人,登場的時候,恐怕要惹人笑呢!

第 93 课 嘉贤给献圣的信

献圣表兄：我校预定在下星期日——十一月二十八日——开游艺会。这一次的游艺会，注重表演平日学习的成绩，全校各级都要加入，所以节目有三十多种。我们一级，决定表演“晏子使楚”和“完璧归赵”的故事。在晏子使楚的故事中，我扮一个晏婴。可是晏婴是很有辩才的，像我这样不会说话的人，登场的时候，恐怕要惹人笑呢！附赠入场券两张，请你查收。到了开会的那一天，我望你和静珍表妹一同来校参观，并请指教。弟嘉贤上。十一月二十日。

附[illegible]入場券兩張，請你查收。到了開會的那一天，我望你和靜珍表妹一同來校參觀，並請指教。

弟嘉賢上。十二月二十日。

獻聖覆嘉賢的信

嘉賢表弟：

你寄給我的信和入場券，已在昨天接到了。謝謝！下星期日，我准定和靜妹前來參觀遊藝會。在兩箇月以前，我聽你演講嫦娥奔月的故事，不但語調流利，並且態度也很活潑。這次扮演晏嬰，可以發揮你的天才，把晏嬰的性格、身分，完全

第94课 献圣复嘉贤的信

嘉贤表弟：你寄给我的信和入场券，已在昨天接到了。谢谢！下星期日，我准定和静妹前来参观游艺会。在两个月以前，我听你演讲“嫦娥奔月”的故事，不但语调流利，并且态度也很活泼。这次扮演晏婴，可以发挥你的天才，把晏婴的性格、身分，完全表演出来。前天我校开校务会议，议决在云南起义纪念日——十二月二十五日——开

表演出來.

前天我校開校務會議,議決在雲南起義紀念日——十二月二十五日——開懇親會.同時,展覽成績,表演學藝.我級擬表演適合時令的歷史故事「蔡鍔」.自昨天起,在課後開始練習.但是,登場的人物,還沒有推定.

到了我们開會的那一天,我也要請你來參觀,指教.

獻聖.　十一月二十一日.

不要驕傲

江裏的輪船,遇到了帆船,很驕傲的說:「小帆船,你

恳亲会。同时，展览成绩，表演学艺。我级拟表演适合时令的历史故事“蔡锷”。自昨天起，在课后开始练习。但是，登场的人物，还没有推定。到了我们开会的那一天，我也要请你来参观，指教。献圣 十一月二十一日。

一天走的路程，我只消兩三點鐘就趕到了。你瞧，我衝風破浪，多麼快呀！」岸上的火車聽見了，說道：「小輪船，你不要驕傲，你一天走的路程，我只消兩三點鐘就趕到了。你瞧，我像快馬似的奔跑，你那裏比得上我！」空間的飛機聽見了，說道：「小火車，你也不要驕傲，你一天走的路程，我也只消兩三點鐘就趕到了。你瞧，我騰雲駕霧，頃刻千里，比你要快多少倍哩！」

第 95 课 不要骄傲

江里的轮船，遇到了帆船，很骄傲的说：“小帆船，你一天走的路程，我只消两三点钟就赶到了，你瞧，我冲风破浪，多么快呀！”岸上的火车听见了，说道：“小轮船，你不要骄傲，你一天走的路程，我只消两三点钟就赶到了。你瞧，我像快马似的奔跑，你哪里比得上我！”空间的飞机听见了，说道：“小火车，你也不要骄傲。你一天走

一隻遞信的鴿子聽見了，很謙和的說：「諸位，快不要驕傲。你們因為走的路徑不同，才有快慢的分別。但是，你們都要有人管理了機器，才能夠行動，怎能及得我這樣自由飛行呢！」

瓦特利用水汽

壺公公不息的發著泡沫，水汽掀開他的帽子，陸續飛跳出來，普囉普囉的叫著。

瓦特詫異的問道：「水汽，你怎麼這樣性急的衝撞？」

水汽回答道：「我熱得不可耐啊。所以要用力掙扎。」

瓦特道：「你的力倒不小，壺公公的帽子，幾乎要被

的路程，我也只消两三点钟就赶到了。你瞧，我腾云驾雾，顷刻千里，比你要快多少倍哩！”一只送信的鸽子听见了，很谦和的说：“诸位，快不要骄傲。你们因为走的路径不同，才有快慢的分别。但是，你们都要有人管理了机器，才能够行动，怎能及得我这样自由飞行呢！”

你掀起來.」水汽道「是的,我的力隱藏在些微的水裏,一經燒煮,蒸發起來,便要衝撞了.」瓦特沈思了一回,說:「水汽!你這樣無目的的衝撞,太無意思,我想利用你的力,做成蒸氣機關,去轉動機器,你願意嗎?」水汽聽了很快活,回答道:「願意,願意.」

從此,水汽就在瓦特造的蒸氣機關裏做工.後來斯梯芬孫把這機關裝在火車的前面拖車,福爾敦

第 96 课　瓦特利用水汽

壶公公不息的发着泡沫，水汽掀开他的帽子，陆续飞跳出来，普啰普啰的叫着。瓦特诧异的问道：“水汽，你怎么这样性急的冲撞？”水汽回答道：“我热得不可耐啊。所以要用力挣扎。”瓦特道：“你的力倒不小，壶公公的帽子，几乎要被你掀起来。”水汽道：“是的，我的力隐藏在些微的水里，一经烧煮，蒸发起来，便要冲撞了。”瓦特沉思了一回，说：“水汽！你这样无目的的冲撞，太无意思，我想利用你的力，做成蒸汽机关，去转动机器，你愿意吗？”水汽听了很快

把機關裝進船肚裏行船.坐船、趁車的人,得到許多便利,都感謝水汽的本領高強,瓦特等的善於利用.

我的名字叫電

我的名字叫電,住在空中,本來是很自由自在的.在許多年前,被一位少年叫做富蘭克林的,從天空中引導我下來,便和人們相識.人們很知道我的性情:我喜歡躲在銅片、鐵片、金屬的細絲和溼空氣中,流連不去.像竹片、木片和橡皮、玻璃等,我一見了,就要避開.

我的身體,附在別的東西上,便能彀發光、發熱、發

活,回答道:“愿意,愿意。”从此,水汽就在瓦特造的蒸汽机关里做工。后来,斯梯芬孙把这机关装在火车的前面拖车,福尔敦把机关装进船肚里行船。坐船、乘车的人,得到许多便利,都感谢水汽的本领高强,瓦特等的善于利用。

大力,替人們做工.人們也投我所好,把我在機器中摩擦出來,通到各種東西上.計算我自從到人間以來,做了許多大事,像電話、電燈、電扇、電竈、電車等,都是我的成績.

我的同伴,也有在空中打架的.打架時候,往往發出強烈的光,和隆隆的聲.小朋友恐怕他們跌到地下來,都嚇得掩耳逃走.其實只要在屋子上裝隻「避電針」,讓地

第97课 我的名字叫电

我的名字叫电，住在空中，本来是很自由自在的。在许多年前，被一位少年叫做富兰克林的，从天空中引导我下来，便和人们相识。人们很知道我的性情：我喜欢躲在铜片、铁片、金属的细丝和湿空气中，流连不去，像竹片、木片和橡皮、玻璃等，我一见了，就要避开。我的身体，附在别的东西上，便能够发光、发热、发大力，替人们做工。人们也投我所好，把我在机器中摩擦出来，通到各种东西上。计算我自从到人间以来，做了许多大事，像电话、电灯、电扇、电灶、电

面的同伴跑到針頭上,同他們和解,就沒有危險了.

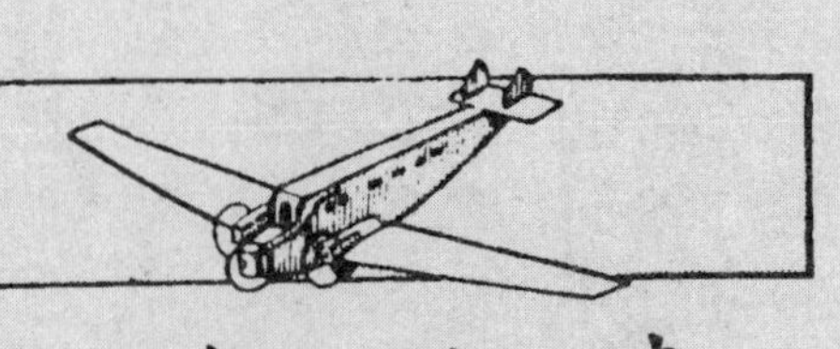

我飛上天空

我飛上天空,
俯瞰著長城馳騁.
從東面的山海關起飛,
到西面的嘉峪關停頓.
在五千四百里的行程中,
只見那巍然矗立的高墻
豎立著像一座廣闊的屏風
是我國偉大的工程.

车等，都是我的成绩。我的同伴，也有在空中打架的。打架时候，往往发出强烈的光，和隆隆的声。小朋友恐怕他们跌到地下来，都吓得掩耳逃走。其实只要在屋子上装只“避电针”，让地面的同伴跑到针头上，同他们和解，就没有危险了。

是我國建國古遠的象徵.

＊ ＊ ＊ ＊ ＊ ＊

我飛上天空, 俯瞰著運河馳騁.
北面的通州起飛, 到南面的杭州停頓.
在二千五百里的行程中,
見那肥沃的平原中間,
衣帶般鋪一幅狹長的素繒.
我國偉大的工程. 是我國開化古遠的象徵.

小旅行家能力強

小旅行家能力強, 不坐船兒與車輛,

第98课 我飞上天空

我飞上天空，俯瞰着长城驰骋。从东面的山海关起飞，到西面的嘉峪关停顿。在五千四百里的行程中，只见那巍然矗立的高墙，竖立着像一座广阔的屏风，是我国伟大的工程，是我国建国古远的象征。我飞上天空，俯瞰着运河驰骋。北面的通州起飞，到南面的杭州停顿。在二千五百里的行程中，见那肥沃的平原中间，衣带般铺一幅狭长的素缯。我国伟大的工程，是我国开化古远的象征。

不帶行李與乾糧.
越過陰山、北嶺與南嶺,
渡過長江、黃河又粵江.
走上東北三省,
沿著蒙古到新疆;
徘徊崑崙山下,
既過青海又西藏.
片刻踏遍全中國,
小旅行家能力強.

工人不是賤人

第99课 小旅行家能力强

小旅行家能力强，不坐船儿与车辆，不带行李与干粮。越过阴山、北岭与南岭，渡过长江、黄河又粤江。走上东北三省，沿着蒙古到新疆；徘徊昆仑山下，既过青海又西藏。片刻踏遍全中国，小旅行家能力强。

拿破侖和他的皇后,到海邊去散步.剛走到一條狹窄的路上,忽見一个面容憔悴,衣衫齷齪的工人,揹着很重的東西,慢慢走過來.

皇后大聲呵喝道:「窮人,你難道沒有看見我們嗎?怎麽不避開去,讓我們走呢?」

拿破侖忙止住他道:「同是一个人,為甚麽叫他讓我們呢?況且他揹着很重的東西,行動比我們不便利,應該我們讓他才是.」說罷,就拉皇后走到一邊,讓那个工人走過去.

工人走後,拿破侖又對皇后說:「工人用勞力做工,

第 100 课 工人不是贱人

拿破仑和他的皇后，到海边去散步，刚走到一条狭窄的路上，忽见一个面容憔悴，衣衫齷齪的工人，揹着很重的东西，慢慢走过来。皇后大声呵喝道："穷人，你难道没有看见我们吗？怎么不避开去，让我们走呢？"拿破仑忙止住他道："同是一个人，为什么叫他让我们呢？况且他揹着很重的东西，行动比我们不便利，应该我们让他才是。"说罢，就拉皇后走到一边，让那个工人走过去。工人走后，拿破仑又对皇后说："工人用劳力做工，并不是贱人。以后你如果遇到这种人，应该怜恤他，敬重他，切不可轻视他。"

並不是賤人以後你如果遇到這種人，應該憐恤他，敬重他，切不可輕視他。」

劉寬的寬恕

東漢時候的劉寬，道德、學問都很好；尤其使人佩服的，是待人寬恕。

有一天，劉寬坐着牛車出門。一个鄉人走來，指着他的牛說：「我走失了一頭牛，原來在這裏。」劉寬並不和他爭辯，讓他把牛牽去。不多時，那个鄉人又趕回來，送還那頭牛，很慚愧似的說：「我走失的牛，已經找到了，剛才冒犯了你，請你治罪。」劉寬說：「凡物往往有

第 101 课　刘宽的宽恕

东汉时候的刘宽，道德学问都很好；尤其使人佩服的，是待人宽恕。有一天，刘宽坐着牛车出门。一个乡人走来，指着他的牛说："我走失了一头牛，原来在这里。"刘宽并不和他争辩，让他把牛牵去。不多时那个乡人又赶回来，送还那头牛，很惭愧似的说"我走失的牛，已经找到了，刚才冒犯了你。请你治罪。"刘宽说："凡物往往有相象的，偶然认错也是常有的事。现在劳你送还，我已十分感谢，怎可治你罪呢？"一天早上，刘宽穿了新袍子，将要出门去。婢女捧了一碗汤，走到刘宽面前，身体一歪，汤泼在新袍子上了。婢女很惊慌，连忙拿布来揩。刘宽却很和气的说："衣服脏了，没有什么要紧，你的手，可曾烫痛吗？"

相像的，偶然認錯，也是常有的事。現在勞你送還，我已十分感謝，怎可治你罪呢？」

一天早上，劉寬穿了新袍子，將要出門去。婢女捧了一碗湯，走到劉寬面前，身體一歪，湯潑在新袍子上了。婢女很驚慌，連忙拿布來揩。劉寬卻很和氣的說：「衣服髒了，沒有甚麼要緊。你的手，可曾燙痛嗎？」

掘掘掘

姜睦和是一個鄉村裏的老農，生下三个兒子。一天晚上，老農突然病了。他對三个兒子說：「我死以後，你們可以到田裏去掘。在那田裏，我藏着許多

第102课 掘掘掘

姜睦和是一个乡村里的老农，生下三个儿子 。一天晚上，老农突然病了，他对三个儿子说：“我死以后，你们可以到田里去掘。在那田里，我藏着许多宝贝，你们得了，享用不完。”那三个儿子正在连声诺诺的时候，老农死了。喉头发出最后的声音：“掘！掘！掘！”三个儿子办完丧事，就带了工具，到田里去掘。大儿子说：“我们该同心协力啊！”二儿子点点头。三儿子也很努力。可是忙了一天，没有得到什么，接着辛苦了一个月，结果也竟空无一物。弟兄三人，便都表示

寶貝，你們得了，享用不完。那三個兒子正在連聲諾諾的時候，老農死了。喉頭發出最後的聲音：「掘！掘！掘！

三個兒子辦完喪事，就帶了工具，到田裏去掘。大兒子說：「我們該同心協力啊！」二兒子點點頭。三兒子也很努力。可是忙了一天，沒有得到甚麼。接着辛苦了一箇月，結果也竟空無一物。弟兄三人，便都表示着怨恨。

大兒子說：「還是種田罷！反正泥土已經掘鬆，磚石已經拾去

着怨恨。大儿子说："还是种田罢！反正泥土已经掘松，砖石已经拾去了。"从此弟兄三人，天天种田，勤奋异常。到了秋天，黄金似的稻，堆满了他们的屋子。他们才觉悟地说："掘！掘！掘！劳动方能生产。这不是父亲给我们的宝贝吗？"

了.從此弟兄三人,天天種田,勤奮異常.到了秋天,黃金似的稻,堆滿了他們的屋子.他們才覺悟地說:「掘!掘!掘!勞動方能生產.這不是父親給我們的寶貝嗎?」

幫助別人

父親買了一箇陀螺,對三个兒子說:「你們把昨天做的事,說給我聽.我看誰做的事最好,就把這箇陀螺給誰.」

大兒子說:「昨天,我穿了一件乾淨的衣服,母親叫我不要弄髒了.我聽母親的話,在外面玩了半天,衣服上沒有染着一箇污點.」父親說:「很好,不過注意清

第 103 课 帮助别人

父亲买了一个陀螺，对三个儿子说：“你们把昨天做的事，说给我听，我看谁做的事最好，就把这个陀螺给谁。”大儿子说：“昨天，我穿了一件干净的衣服，母亲叫我不要弄脏了。我听母亲的话，在外面玩了半天，衣服上没有染着一个污点。”父亲说：“很好，不过注意清洁并非难事。”二儿子说：“昨天，我和一个朋友约定在下午一时，我到他家去；到了午后，天要下雨了，我仍旧准时前去。”父亲说：“很好，不过遵守时刻，不失信用，本来是应该的。”三儿子说：“昨天，我

潔，並非難事。」

二兒子說：「昨天，我和一个朋友約定在下午一時，我到他家去；到了午後，天要下雨了，我仍舊准時前去。」父親說：「很好，不過遵守時刻，不失信用，本來是應該的。」

三兒子說：「昨天，我在曠野散步，忽然刮了一陣大風，把一个老人的帽子，吹在地上，隨風滾去。老人拄着拐杖，在後面追，氣喘吁吁，累得甚麼似的。我連忙

在旷野散步，忽然刮了一阵大风，把一个老人的帽子，吹在地上，随风滚去。老人拄着拐杖，在后面追，气喘吁吁，累得什么似的。我连忙赶上去，替他拾起那只帽子。”父亲说：“好极了，帮助别人，是不容易做的事。这个陀螺应该给你。

趕上去,替他拾起那隻帽子.」父親說:「好極了,幫助別人,是不容易做的事.這箇陀螺,應該給你.」

你怎麼知道的

兆麟和肖麒站在門口,見一个鄉人,背着一箇袋,走過來.兆麟向他打量了一會,對肖麒說:「這个人一定姓王,住在南鄉,今天早上八時以前進城來的.」肖麒不信,去向鄉人打探了一回,果然和兆麟說的一點也不錯.他很詫異,便問兆麟說:「你怎麼知道的?」

第 104 课 你怎么知道的

兆麟和肖麒站在门口，见一个乡人，背着一个袋，走过来。兆麟向他打量了一会，对小麒说：“这个人一定姓王住在南乡，今天早上八时以前进城来的。”肖麒不信，去向乡人打探了一回，果然和兆麟说的一点也不错。他很诧异，便问兆麟说：“你怎么知道的？”兆麟道：“凡事只要观察和推测便可明白底细。我见他的袋上写着‘三槐堂’三个字，便知道他姓王。”肖麒道：“你怎么知道他住在南乡呢？”兆麟道：“今天早上，不是下过一阵大雪，而且还夹着北风吗？那雪

兆麟道：「凡事只要觀察和推測，便可明白底細。我見他的袋上寫著「三槐堂」三箇字，便知道他姓王。」

肖麒道：「你怎麼知道他住在南鄉呢？」

兆麟道：「今天早上，不是下過一陣大雪，而且還夾著北風嗎？那雪花被北風一吹，便向南方斜飄過去。這个鄉人的衣服，前面很溼，後面很乾，這不是從南鄉向北走來的證據嗎？」

肖麒道：「那麼，你又怎麼知道他在八時以前進城的呢？」

兆麟道：「今天的雪，在八時已停止了。要是鄉人在八時以後進城來的，他的衣服怎麼會溼呢！」

花被北风一吹，便向南方斜飘过去。这个乡人的衣服，前面很湿，后面很干，这不是从南乡向北走来的证据吗？”肖麒道：“那么，你又怎么知道他在八时以前进城的呢？”兆麟道：“今天的雪，在八时已停止了。要是乡人在八时以后进城来的，他的衣服怎么会湿呢！”

蒼松和紅梅

白雪飛，泉水凍，
山上的樹木，葉落枝空。
只有幾株蒼松，
枝幹挺立葉青蔥，卻不怕雪飛水凍。
好像幾個老公公，精神飽滿體力充。
濃霜打，北風吹，
園裏的花草，凋残憔悴。
只有幾株紅梅，

第105课 苍松和红梅

白雪飞，泉水冻，山上的树木，叶落枝空。只有几株苍松，枝干挺立叶青葱，却不怕雪飞水冻。好像几个老公公，精神饱满体力充。浓霜打，北风吹，园里的花草，凋残憔悴。只有几株红梅，枝干纵横花芳菲。却不怕霜打风吹。好像几个小妹妹，身体活泼姿态美。

枝榦縱橫花芳菲，卻不怕霜打風吹。
好像幾個小妹妹，身體活潑姿態美。

一二八紀念日覆朋友的信

季霞同學：
你去年給我的信，我早就想覆你了。因為我等待着一個紀念日的來臨，所以挨到今天。今天是一個悲壯的紀念日，你知道嗎？當東三省落在敵人手裏的那年，上海的民衆，就抵制仇貨，以促敵人的覺悟。那知敵人蠻不講理，從翌年的今天開始，運用鐵甲車、飛機、大礮、步槍等厲害的軍火，轟

第 106 课　一二八纪念日复朋友的信

季霞同学：你去年给我的信，我早就想复你了。因为我等待着一个纪念日的来临，所以挨到今天。今天是一个悲壮的纪念日，你知道吗？当东三省落在敌人手里的那年，上海的民众，就抵制仇货，以促敌人的觉悟。那知敌人蛮不讲理，从翌年的今天开始，运用铁甲车、飞机、大炮、步枪等厉害的军火，轰炸我闸北的工业区域。幸亏我们驻守的十九路军奋勇抵抗，使敌人手忙脚乱，终于不曾达到占据目的。我中华民族自卫的精神，也给全世界人类都佩服了。在这回奋斗中，

炸我閘北的工業區域.幸虧我們駐守的十九路軍奮勇抵抗,使敵人手忙脚亂,終於不曾達到佔據目的.我中華民族自衛的精神,也給全世界人類都佩服了.

在這回奮鬥中,我的爸爸同朋友艱難創造的工廠,雖然全部葬入敵人的礮火中,但是爸爸說:『敵人的礮火炸得燬我們的身體、產業;炸不燬我們的精神!』我聽了這句話,興奮極了.現在我趁着今天的紀念,覆信給你,祝你在黑暗中掙扎成功!

弟晏溪峯上. 一月二十八日

我的爸爸同朋友艰难创造的工厂虽然全部葬入敌人的炮火中，但是爸爸说：“敌人的炮火炸得毁我们的身体、产业；炸不毁我们的精神！”我听了这句话，兴奋极了。现在我趁着今天的纪念，复信给你，祝你在黑暗中挣扎成功！弟晏溪峰上。一月二十八日。

專心的詩人

英國的詩人白郎寧，天天坐在書室中，專心讀書，吟詩，從来不顧問家裏的事.有一次白郎寧在附近的圖畫展覽會中，擔任招待員.參觀的賓客很多，白郎寧招待介紹，送往迎來.十分忙碌.到了午時，走進一个婦人，他又上前去殷勤招待，並且指著壁上陳列的作品說：『夫人，請批評，』那个婦人很詫異，連忙說：『不敢！我是主人家裏雇用的燒飯婆，那裏會知道繪畫的好壞.此刻，是奉了主母的命，特來請主人回去用午飯哩！』白郎寧聽了那婦人的話，自己也不覺好笑起來.

第 107 课　专心的诗人

英国的诗人白郎宁，天天坐在书室中，专心读书，吟诗，从来不顾问家里的事。有一次，白郎宁在附近的图画展览会中，担任招待员。参观的宾客很多，白郎宁招待介绍，送往迎来，十分忙碌。到了午时，走进一个妇人，他又上前去殷勤招待，并且指着壁上陈列的作品说："夫人，请批评！"那个妇人很诧异，连忙说："不敢！我是主人家里雇用的烧饭婆，哪里会知道绘画的好坏。此刻，是奉了主母的命，特来请主人回去用午饭哩！"白郎宁听了那妇人的话，自己也不觉好笑起来。

還債

彭祥欠王馥一箇銀元,王馥欠孟良一箇銀元,孟良也欠彭祥一箇銀元.有一天,三个人遇見了,互相討還各人欠的債.他們爭閙了一會,大家沒有錢還債,便到公安局裏去解决.

警長問明了原委,便說:「你們各人都欠著債,大家不必還,就算清楚了罷!」三个人都不肯答應,依然各辯各的理由.

警長曉得三个都是糊塗人,沒法可以理喻.便掏出一箇銀元,交給彭祥,叫他還給王馥;又叫王馥還給孟良;再叫孟良還給彭祥;末了,彭祥仍把那箇銀元,還給警長.這樣,他們所欠的債,便完全還清了.

第108课 还债

彭祥欠王馥一个银元，王馥欠孟良一个银元。孟良也欠彭祥一个银元。有一天，三个人遇见了，互相讨还各人欠的债。他们争闹了一会，大家没有钱还债，便到公安局里去解决。警长问明了原委，便说：“你们各人都欠着债，大家不必还，就算清楚了罢！”三个人都不肯答应，依然各辩各的理由。警长晓得三个都是糊涂人，没法可以理喻。便掏出一个银圆，交给彭祥，叫他还给王馥；又叫王馥还给孟良；再叫孟良还给彭祥；末了，彭祥仍把那个银元，还给警长。这样，他们所欠的债，便完全还清了。

互助債

少年畫師郭懷芸，獨自出外旅行．到了一座山下，覺得風景很好，便借宿在樵夫的家裏，練習寫生畫．住了幾天，郭懷芸忽然害了重病．他雖然寫信回去，叫家裏的人出來．但是距離很遠，一時不容易寄到．幸虧樵夫盡心竭力的看護他，一面料理醫藥，一面好言安慰，他的病纔得痊愈．

不久，郭懷芸家裏得了信，便派人來接他回去．臨走的時候，他拏十塊錢酬謝樵夫說：「承你照顧，十分感激．這十塊錢，請你收了罷．」

第 109 课 互助债

少年画师郭怀芸，独自出外旅行。到了一座山下，觉得风景很好，便借宿在樵夫的家里，练习写生画。住了几天，郭怀芸忽然害了重病。他虽然写信回去，叫家里的人出来。但是距离很远，一时不容易寄到。幸亏樵夫尽心竭力的看护他，一面料理医药，一面好言安慰，他的病才得痊愈。不久，郭怀芸家里得了信，便派人来接他回去。临

樵夫再三推辭說：「你沒有向我借債，為甚麼要給我金錢？你負的是互助債，將來你如果遇到落難的人，能彀好好地照顧他，這便是你還清了互助債。」

走的时候，他拿十块钱酬谢樵夫说：“承你照顾，十分感激。这十块钱，请你收了吧！”樵夫再三推辞说：“你没有向我借债，为什么要给我金钱？你负的是互助债，将来你如果遇到落难的人，能够好好的照顾他，这便是你还清了互助债。”

馬鈴薯醫病

錫敏是個美麗的小姑娘.他的母親很寵愛他,整天不叫他做事.但是,錫敏總是愁眉不展,顯露一副不快樂的形容.

過了幾年,錫敏患病了他的母親忙著請醫生,配藥方,但是總沒有功效.一天,請到了一個聰明的醫生,他向病房觀察了一會,便說:「這箇病症,只有馬鈴薯可以醫治.」錫敏的母親正要問箇底細,那知他早已走了.

錫敏的母親沒法可想,便到農場,把醫生說的話,

第110课 马铃薯医病

锡敏是个美丽的小姑娘。他的母亲很宠爱他，整天不叫他做事。但是，锡敏总是愁眉不展，显露一副不快乐的形容。过了几年，锡敏患病了，他的母亲忙着请医生，配药方，但是总没有功效。一天，请到了一个聪明的医生，他向病房观察了一会，便说：“这个病症，只有马铃薯可以医治。”锡敏的母亲正要问个底细，哪知他早已走了。锡敏的母亲没法可想，便到农场，把医生说的话，告诉种马铃薯的老农

告訴種馬鈴薯的老農夫。老農夫思索了一會，覺悟似的說：「起先，我也是多病的人，自從種了一畝馬鈴薯，身體便強壯了。現在，小姑娘何不也去試試看呢！」錫敏的母親，聽了老農夫的話，天天叫錫敏到園地上去墾種。不上三箇月，果然身體康健了。這時候，他們纔知道，適當的工作，是強身的補藥。

兩張藥方

龔潤生和龐靖濤是知己的朋友。他倆因為面黃肌瘦，時常害病，所以一同去請董醫生診治。董醫生先向龔潤生按了一回脈，看了一回舌苔，

夫。老农夫思索了一会，觉悟似的说：“起先，我也是多病的人，自从种了一亩马铃薯，身体便强壮了。现在小姑娘何不也去试试看呢！”锡敏的母亲听了老农夫的话，天天叫锡敏到园地上去垦种。不上三个月，果然身体康健了。这时候，他们才知道，适当的工作，是强身的补药。

便問:「你害甚麼病?」龔潤生道:「我常常要肚子痛.」董醫生道:「我開一張藥方給你,你只要照方實行,不久,病便會痊愈的.」説罷,他提起筆來寫道:「喫東西,要留意:少喫多滋味,多喫壞肚皮.從今以後,你該少喫些東西.」

接着,董醫生又向龐靖濤按了一回脈,看了一回面色,便問:「你害甚麼病?」龐靖濤説:「我常常四肢乏力,精神不振.」董醫生道:「我也開一張藥方給你,你只要照方實行,不久,病也會痊愈的.」説罷,他又提起筆來寫道:「常運動,筋骨強,血脈通;不運動,沒氣力,易生病.

第111课 两张药方

龚润生和庞靖涛是知己的朋友。他俩因为面黄肌瘦，时常害病，所以一同去请董医生诊治。董医生先向龚润生按了一回脉，看了一回舌苔，便问，“你害什么病？”龚润生道：“我常常要肚子痛。”董医生道：“我开一张药方给你，你只要照方实行，不久，病便会痊愈的。”说罢，他提起笔来写道：“吃东西，要留意：少吃多滋味，多吃坏肚皮。从今以后，你该少吃些东西。”接着，董医生又向庞靖涛按了一回脉，看了一回面色，便问：“你害什么病？”庞靖涛说：“我常常四肢乏力，精神不振。”董医生道：“我也开一张药方给你，你只要照方实行，不久病也会痊愈的。”说罢，他又提起笔来写道：“常运动，筋骨强，血脉通；不运动，没气力，易生病。从今以后，你该天天去运动。”

從今以後，你該天天去運動。

運動會

雨不打，風不飄，
旗幟鮮明日光照。
琴聲清，歌聲高，
體育場上真熱鬧。
田徑賽，團體操，
運動節目有多少。
小學生，意氣豪。
各項技術都熟練，

第112课 运动会

雨不打，风不飘，旗帜鲜明日光照。琴声清，歌声高，体育场上真热闹。田径赛，团体操，运动节目有多少。小学生，意气豪。各项技术都熟练，公开表演请比较，一齐努力献身手，看谁夺得大锦标。失败的人莫气馁，优胜的人莫骄傲。须知胜败本是寻常事，希望锻炼身体最重要。

公開表演請比較。一齊努力獻身手，
看誰奪得大錦標。失敗的人莫氣餒，
優勝的人莫驕傲。須知勝敗本是尋常事，
希望鍛鍊身體最重要。

希望鳥（一）

從前某國有个孩子，獨自在花園裏遊覽。許多小鳥，在樹枝上啾啾地叫著；美麗的花兒，在地上盛開著；幾對白兔，在草間活潑地跳躍著。這種幽靜的景色，在我們看來，一定滿意極了。但是孩子卻說：『這些我都不愛玩了，我希望得到珍奇的東西啊！

第113课 希望鸟

从前某国有个孩子，独自在花园里游览。许多小鸟在树枝上啾啾地叫着；美丽的花儿，在地上盛开着；几对白兔，在草间活泼地跳跃着。这种幽静的景色，在我们看来，一定满意极了。但是孩子却说：“这些我都不爱玩了，我希望得到珍奇的东西啊！”树上的一只小鸟突然开起口来：“我叫希望鸟。无论你有什么希望，我都可以帮助你实现的。只是过分大的希望是不行的——现在，你希望什么？”孩子道：“我希望花儿变成羽毛。”希望鸟实

樹上的一隻小鳥突然開起口來：「我叫希望鳥．無論你有甚麼希望，我都可以幫助你實現的．只是過分大的希望是不行的．——現在，你希望甚麼？」

孩子道：「我希望花兒變成羽毛．」希望鳥實現孩子的希望．一瞬間，花兒都變成了羽毛．孩子很快樂．

孩子道：「我希望白兔生了羽毛，會自己飛起來．」希望鳥實現孩子的希望．一瞬間，白兔飛起來了．孩子更快樂．

希望鳥（二）

希望鳥見孩子快樂，高興地問：「你還有別的希望

现孩子的希望。一瞬间，花儿都变成了羽毛。孩子很快乐。孩子道："我希望白兔生了羽毛，会自己飞起来；"希望鸟实现孩子的希望。一瞬间，白兔飞起来了。孩子更快乐。

希望鸟见孩子快乐，高兴地问："你还有别的希望吗？"孩子说："有的，有的，现在我希望你给我一个月球。"希望鸟有点不快，说："我不是同你说过，过分大的希望是不行的吗？现在，我不能帮助你实现了。""不，你不要吝啬，希望你给我月球。"孩子

嗎?」孩子說:「有的,有的,現在我希望你給我一箇月球.」
希望鳥有點不快,說:「我不是同你說過,過分大的
希望是不行的嗎? 現在,我不能幫助你實現了.」
「不,你不要吝嗇,希望你給我月球.」孩子强迫地說.
希望鳥厭惡孩子的無理,喊道:「羽毛,羽毛,你們快
飛! 白兔,白兔,你們快走!」於是,花和兔都不見了.
孩子很失望,纔着急地說:「我仍舊愛我的花兒,我
仍舊愛我的白兔,希望鳥呀! 請你還了我罷!」
希望鳥憤然說:「那是很容易的.只要你先下種子,
使牠發芽;用心栽植,就會開花了.至於白兔呢,只要

强迫地说。希望鸟厌恶孩子的无理，喊道：“羽毛，羽毛，你们快飞！白兔，白兔，你们快走！”于是，花和兔不见了。孩子很失望，才着急地说：“我仍旧爱我的花儿，我仍旧爱我的白兔，希望鸟呀！请你还了我吧！”希望鸟愤然说：“那是很容易的。只要你先下种子，使它发芽；用心栽植就会开花了。至于白兔呢，只要你从小就费着心去看护它；慢慢地等它长大，你也可以玩了。总之：你自己能够十二分的劳动，同时没有过分大的希望，那么，你的希望，一定都能实现了。”

你從小就費著心去看護牠;慢慢地等牠長大,你也可以玩了.總之:你自己能彀十二分的勞動,同時沒有過分大的希望,那麼,你的希望,一定都能實現了.

這是甚麼鳥

歐洲有一个動物學家,向來沒有看見過蟬的形態,也沒有聽見過蟬叫的聲音.

有一年的夏天,這位動物學家,初次到中國來遊歷.他坐了車子,順便去探望一个中國的朋友在半路上,忽聞得樹梢頭有「知了知了」的聲音.他不曉得是蟬,當作一種鳥.但是,不見他的形狀,因此便問車

第114课 这是什么鸟

欧洲有一个动物学家，向来没有看见过蝉的形态，也没有听见过蝉叫的声音。有一年的夏天，这位动物学家，初次到中国来游历。他坐了车子，顺便去探望一个中国的朋友。在半路上，忽闻得树梢头有“知了知了”的声音。他不晓得是蝉，当作一种鸟。但是不见他的形状，因此便问车夫道：“这是什么鸟？”车夫不懂外国话，当他是问路名，便说：“这是三元巷。”动物学家牢牢地记着，见了朋友，便

夫道：「這是甚麼鳥？」車夫不懂外國話，當他是問路名，便說：「這是三元巷。」

動物學家牢牢地記著，見了朋友，便問：「貴國有一種名叫三元巷的鳥，叫的聲音怪好聽。這種鳥，我向來沒有見過，你可以拏一箇標本，給我研究一下嗎？」

朋友很詫異，說道：「你從那裏聽得有這一種鳥？」動物學家說：「剛才聽得樹上有「知了知了」的鳴聲，我問車夫是甚麼鳥，車夫說是三元巷。」

朋友大笑道：「這是一種昆蟲，名叫蟬，並不是鳥。車夫說的三元巷，是你剛才經過的路名。」

问："贵国有一种名叫三元巷的鸟，叫的声音怪好听。这种鸟，我向来没有见过，你可以拿一个标本，给我研究一下吗？"朋友很诧异，说道："你从哪里听得有这一种鸟？"动物学家说："刚才听得树上有"知了知了"的鸣声，我问车夫是什么鸟，车夫说是三元巷。"朋友大笑道："这是一种昆虫，名叫蝉，并不是鸟。车夫说的三元巷，是你刚才经过的路名。"

遊西湖(一)

今年春天,我跟著父親到杭州,遊西湖去.我們在早上,走出錢塘門,雇了一隻小船,沿湖前進.穿過了斷橋,便到孤山腳下.那裏有一箇林處士墓,還有一座放鶴亭.船到了西泠橋,便看見徐錫麟墓和女俠秋瑾墓,他們都是清末的革命烈士.再前進,去遊岳王廟和岳王墳.墳前,有秦檜等的鐵像.遊客到此,往往對著鐵像,表示憤恨.我瞧見了,便想到在同一地方,表現出善惡的兩件事實來:一箇是「流芳百世」;一箇是「遺臭萬年」.

第115课 游西湖

今年春天，我跟着父亲到杭州，游西湖去。我们在早上，走出钱塘门，雇了一只小船，沿湖前进。穿过了断桥，便到孤山脚下。那里有一个林处士墓，还有一座放鹤亭。船到了西泠桥，便看见徐锡麟墓和女侠秋瑾墓，他们都是清末的革命烈士。再前进，去游岳王庙和岳王坟。坟前，有秦桧等的铁像。游客到此，往往对着铁像，表示愤恨。我瞧见了，便想到在同一地方，表现出善恶的两件事实来：一个是“流芳百世”；一个是“遗臭万年”。我们又沿白堤，回到孤山南面，去游

我們又沿白隄，回到孤山南面，去遊公園．在園中眺望，只見青山叠叠，綠水瑩瑩，真叫人捨不得回去．有幾个學生，在園中繪圖，怕我們已做了畫中人哩．

遊西湖（二）

我們喫了午飯，再坐船．到了湖心，看見一箇小島，上有精緻的建築物．四面臨水，花木掩映，風景很好，這就是湖心亭．我們泊了船，走上亭子．憑欄一望，水色嵐光，盡入眼底．

我們在湖心亭暢玩了一會，又坐船到三潭印月．上了岸，走過一條曲折的石橋，見水中有三座石塔，

公园。在园中眺望，只见青山叠叠，绿水莹莹，真叫人舍不得回去。有几个学生，在园中绘图，怕我们已做了画中人哩。

我们吃了午饭，再坐船，到了湖心，看见一个小岛，上有精致的建筑物。四面临水，花木掩映，风景很好，这就是湖心亭。我们泊了船，走上亭子，凭栏一望，水色岚光，尽入眼底。我们在湖心亭畅玩了一会，又坐船到三潭印月。上了岸，走过一条曲折的石桥，见水中有三座石塔，像香炉的三只脚。父亲说：”这是三个潭。每个潭有六

像香爐的三隻腳.父親說:「這是三箇潭.每箇潭有六箇圓洞.如果點了蠟燭,放在洞裏;再用色紙,把洞口糊沒,月光照着,水裏便顯出影子,非常好看.所以叫做三潭印月.」可惜我們去遊歷的時候,不是月光皎潔的夜裏.否則,我定要當場試驗一下了.

个圆洞。如果点了蜡烛，放在洞里；再用色纸。把洞口糊没，月光照着，水里便显出影子，非常好看，所以叫做三潭印月。“可惜我们去游历的时候，不是月光皎洁的夜里。否则，我定要当场实验一下了。傍晚，我们坐了原船，回到钱塘门外。当天晚上，乘车回家。

傍晚，我們坐了原船，回到錢塘門外。當天晚上，乘車回家。

巨人的花園(一)

開幕時：甲乙兩兒，在花園的蘺笆外望著。

甲、乙：望得見地上草兒俏，望得見枝頭花兒笑。這是誰家的花園啊？我們進去玩他一遭。

(丙、丁兩兒趕來。)

丙、丁：好，好，大家來湊熱鬧，攙著手兒，跑跑跳跳。看活潑的小鳥舞蹈，看光明的太陽高照。

(甲乙、丙、丁四兒同入園中，做捉迷藏的遊戲。丁兒

第116课 巨人的花园

开幕时：甲乙两儿，在花园的篱笆外望着。甲、乙：望得见地上草儿俏，望得见枝头花儿笑。这是谁家的花园啊？我们进去玩他一遭。(丙、丁两儿赶来)丙、丁：好，好，大家来凑热闹，搀着手儿，跑跑跳跳。看活泼的小鸟舞蹈，看光明的太阳高照，(甲、乙、丙、丁四儿同入园中，做捉迷藏的游戏，丁儿做盲者，其余三儿搀手转圈)甲：跑，

做盲者，其餘三兒攙手轉圈。)

甲：跑，跑，一圈一圈盤繞。

乙：花園的景緻真美妙。

丙：躲好了，你可能找到？

丁：我自會把你們捉牢。

(長大醜陋的巨人上。)

巨人：小傢伙敢亂嚷亂擾，快給我走，不走不饒。

(羣兒逃下。)

巨人：小傢伙都給我趕跑，獨自佔着花園多好！

跑，一圈一圈盘绕。乙：花园的景致真美妙。丙：躲好了，你可能找到？丁：我自会把你们捉牢。（长大丑陋的巨人上）巨人：小家伙敢乱嚷乱扰，快给我走，不走不饶。（群儿逃下）巨人：小家伙都给我赶跑，独自占着花园多好！（巨人坐在地上）（闭幕）

开幕时：花园里飘雪，下冰块。巨人仍旧坐着，揉眼张望。巨人：

（巨人坐在地上）（開幕）

巨人的花園（二）

開幕時：花園裏飄雪，下冰塊。巨人仍舊坐着，揉眼張望。

巨人：哎喲，景色怎麼變了！冰雪把春光全壓倒。

（巨人搖頭懊惱）

巨人：莫不是把小孩趕跑，「自然」來同我開頑笑。

（巨人沈思，忽擡頭）

巨人：哦，哦，我此刻纔知道，自私自利實在不好。

（巨人起立，走至園門口招手）

哎哟，景色怎么变了！冰雪把春光全压倒。（巨人摇头懊恼）巨人：莫不是把小孩赶跑，"自然"来同我开玩笑。（巨人沉思，忽抬头）巨人：哦，哦，我此刻才知道，自私自利实在不好。（巨人起立，走至园门口招手）巨人：来呀来，各位小宝宝，我不应该欺侮弱小。来呀来，各位小宝宝，请你们到园中瞧瞧。（甲、乙、丙、丁四儿，重入园中，把雪扫开，

巨人：來呀來，各位小寶寶，
我不應該欺侮弱小．
來呀來，各位小寶寶，
請你們到園中瞧瞧．
（甲、乙、丙、丁四兒，重入園中，把雪掃開，把冰塊拾去．一刻兒花園復呈美麗的春天景色．巨人歡喜得很，大笑，握羣兒的手轉圈．）
巨人：這個園恢復了美貌，你們的功勞真不小！

把冰块拾去，一刻儿花园复呈美丽的春天景色。巨人欢喜得很，大笑，握群儿的手转圈）巨人：这个园恢复了美貌，你们的功劳真不小！甲乙：做些工算不得功劳，只愿你“公开”就是好。丙丁：做些工算不得功劳，只愿你“共享”就是好。巨人：自私自利从今去掉，愿你们常常指教！（巨人及甲、乙、丙、丁四儿，同时坐在地上）（闭幕）

甲、乙：做些工算不得功勞，只顧你「公開」就是好.
丙、丁：做些工算不得功勞，只顧你「共享」就是好.
巨人：自私自利從今去掉，願你們常常來指教！
（巨人及甲、乙、丙、丁四兒同時坐在地上）（閉幕）

笨蒼蠅

一箇笨蒼蠅，坐在花瓣上.對蜜蜂說：「聽說你家的房子很好看，我可以到你家去看看嗎？」蜜蜂說：「你的身體很髒，不能去參觀.」笨蒼蠅哼了一聲，連忙飛開.隔了一會，笨蒼蠅飛到窗口，對蠶子說：「聽說你們

第117课 笨苍蝇

一个笨苍蝇，坐在花瓣上。对蜜蜂说：“听说你家的房子很好看，我可以到你家去看看吗？”蜜蜂说：“你的身体很脏，不能去参观。”笨苍蝇哼了一声，连忙飞开。隔了一会，笨苍蝇飞到窗口，对蚕子说：“听说你们的蚕室很温暖，我可以到里面来玩玩吗？”蚕子说：“你的身体很脏，不许进来。”笨苍蝇哼了一声，连忙飞开。隔了一会，笨苍蝇飞到厨房里，看见一罐油，笑着说：“他们嫌我脏。我就在油里洗个澡吧。”他飞到了油里，被油粘住了脚，再也飞不起来。

的蠶室很温煖，我可以到裏面來玩玩嗎？」蠶子說：「你的身體很髒，不許進來。」笨蒼蠅哼了一聲，連忙飛開。

隔了一會，笨蒼蠅飛到廚房裏，看見一罐油，笑著說：「他們嫌我髒，我就在油裏洗箇澡罷。」他飛到了油裏，被油黏住了脚，再也飛不起來。廚子看見了，把他撈起來，摔在地上。

隔了一會，笨蒼蠅脚上的油乾了。他飛到浴室裏，看見孩子，在浴盆裏洗澡。他說：「人用熱水洗澡，我也該用熱水洗澡。」說罷，一頭栽到浴盆裏，被熱水燙死。

厨子看见了，把他捞起来，摔在地上。隔了一会，笨苍蝇脚上的油干了。他飞到浴室里，看见孩子，在浴盆里洗澡。他说：“人用热水洗，我也该用热水洗澡。”说罢，一头栽到浴盆里，被热水烫死。

黃道婆

棉花本是印度產，中國唐代始發見．因為交通不便利，最初只種閩、粤閒．元代有个黃道婆，生在江南黃浦邊．聽得棉花功用大，長途跋涉到福建．果然見到棉花朵，彈成棉絮輕且輭．道婆救世心腸熱，帶回種子大宣傳．不久江、浙平原地，農家處處學種棉．一人傳十十傳百，從此都有棉衣穿．畢竟道婆功不小，後人怎可不紀念！

太陽是怎樣的一件東西

第 118 课 黄道婆

棉花本是印度产，中国唐代始发见，因为交通不便利，最初只种闽粤间。元代有个黄道婆，生在江南黄浦边。听得棉花功用大，长途跋涉到福建。果然见到棉花朵，弹成棉絮轻且软。道婆救世心肠热，带回种子大宣传。不久江、浙平原地，农家处处学种棉。一人传十、十传百，从此都有棉衣穿。毕竟道婆功不小，后人怎可不纪念！

蔣瞎子從來沒有看見過太陽.一天,他問同居的朋友道:『太陽是怎樣的一件東西?』

朋友道:『太陽的形狀是圓的,像銅盤差不多.』蔣瞎子把銅盤敲了幾聲,說道:『我知道了!我知道了!』隔了幾天,蔣瞎子聽見噹噹噹敲鐘的聲音,他說道:『太陽出來啦!太陽出來啦!』

朋友又對他說道:『太陽是很光明的,像燃的蠟燭差不多.』蔣瞎子把蠟燭摸了一回,說道:『我知道了!我知道了!』隔了幾天,蔣瞎子捏著一枝笛,他說道:『這是太陽啊!這是太陽啊!』

第119课 太阳是怎样的一件东西

蒋瞎子从来没有看见过太阳。一天，他问同居的朋友道：“太阳是怎样的一件东西？”朋友道：“太阳的形状是圆的，像铜盘差不多。”蒋瞎子把铜盘敲了几声，说道：“我知道了！我知道了！”隔了几天，蒋瞎子听见当当当敲钟的声音，他说道：“太阳出来啦！太阳出来啦！”朋友又对他说道：“太阳是很光明的，像燃的蜡烛差不多。”蒋瞎子把蜡烛摸了一回，说道：“我知道了！我知道了！”隔了几天，蒋瞎子捏着一枝笛，他说道：“这是太阳啊！这是太阳啊！”同居的朋友，虽然比喻解释了好几次，蒋瞎子终究没有明白太阳是怎样的一件东西。

同居的朋友，雖然譬喻解釋了好幾次，蔣瞎子終究沒有明白太陽是怎樣的一件東西.

害人的罌粟花

許多植物，種在一箇園地上.

一天，白菜說：「我的滋味很甜，所以人們都喜歡喫我.」

茄子說：「我的果實很肥，所以人們都喜歡種我.」

蘿蔔說：「蔬菜當中，要算我的功用最大.不但肥嫩的根，可以

第 120 课 害人的罂粟花

许多植物，种在一个园地上。一天，白菜说：“我的滋味很甜，所以人们都喜欢吃我。”茄子说：“我的果实很肥，所以人们都喜欢种我。”萝卜说：“蔬菜当中，要算我的功用最大，不但肥嫩的根，可以佐膳；就是纤小的子，也可做药。”一株罂粟花骄傲似的说：“你们都是不值钱的东西，像我开着美丽的花，可以供人欣赏；结着很大的果，可以制成鸦片。人们吸了鸦片，可以治疾病、提精神，我的价值，比

佐膳；就是纖小的子，也可做藥」．

一株罌粟花驕傲似的說：「你們都是不值錢的東西．像我，開著美麗的花，可以供人欣賞；結著很大的果，可以製成鴉片．人們吸了鴉片，可以治疾病、提精神，我的價值，比你們大得多哩」．

一隻老馬走過，聽見了罌粟花的話，大怒道：「白菜、茄子、蘿蔔，都是蔬菜，有益於人類．只有罌粟花是人類的害物．人們吸了鴉片，便要中毒成癮．不但喪生促命，還要傾家蕩產哩．你這害人的罌粟花，應該把你剷除．」說罷，他把那株罌粟花拔了起來，咬成幾段．

你们大得多哩。”一只老马走过，听见了罂粟花的话，大怒道：“白菜、茄子、萝卜、都是蔬菜，有益于人类。只有罂粟花是人类的害物。人们吸了鸦片，便要中毒成瘾。不但丧生促命，还要倾家荡产哩。你这害人的罂粟花，应该把你铲除。”说罢，他把那株罂粟花拔了起来，咬成几段。

一串珠子

商人袁茂,把一串珠子,藏在蘇競家裏,託他保管.隔了幾箇月,袁茂向蘇競討還那串珠子,不料蘇競不承認有這回事.兩人爭論了好久,各不相讓,竟打架起來.警察走來,把他們都拉到公安局裏去.

警官訊問了一番,蘇競終不肯說出真情.旁邊的警長說:「讓我到被告家裏去一趟,這案子便可裁決.」警官曉得他很聰明,立刻叫他到蘇競家裏去.

警長到了蘇競的家裏,對蘇競的妻子說:「你的丈夫已經承認了,警官叫我來取贓物.」那女人只得把

第121课 一串珠子

商人袁茂，把一串珠子，藏在苏竞家里，托他保管。隔了几个月，袁茂向苏竞讨还那串珠子，不料苏竞不承认有这回事。两人争论了好久，各不相让，竟打架起来。警察走来，把他们都拉到公安局里去。警官讯问了一番，苏竞终不肯说出真情。旁边的警长说：“让我到被告家里去一趟，这案子便可裁决！”警官晓得他很聪明，立刻叫他到苏竞家里去。警长到了苏竞的家里，对苏竞的妻子说：“你的丈夫已经承认了，警官叫我来取赃物。”那女人只得把那串珠子检出，交给警长。警长把珠子交给警官。警官对苏竞说：“你的妻子已经把珠子拿出来了，你还狡赖吗？”苏竞一言不发！警官就把那串珠子归还袁茂。

那串珠子檢出，交給警長。警長把珠子交給警官。警官對蘇競說：「你的妻子已經把珠子拏出來了，你還狡賴嗎？」蘇競一言不發，警官就把那串珠子歸還袁茂。

孫亮

孫亮買了幾顆梅子，叫人去取些蜜來，想把梅子浸在蜜裏。取蜜的人和藏蜜的人，平日意見不合，他取了些

第122课 孙亮

孙亮买了几颗梅子，叫人去取些蜜来，想把梅子浸在蜜里。取蜜的人和藏蜜的人，平日意见不合，他取了些蜜，暗地里放了一粒老鼠屎在里面，想把这个过失移到藏蜜的人身上去。孙亮见蜜里有了老鼠屎，便问取蜜的人说：“这粒老鼠屎是哪里来的？”取蜜的人说：“一定是藏蜜的人不小心。”孙亮又问藏蜜的人说：“这粒老鼠屎是那里来

蜜，暗地裏放了一粒老鼠矢在裏面，想把這箇過失，移到藏蜜的人身上去．

孫亮見蜜裏有了老鼠矢，便問取蜜的人說：「這粒老鼠矢是那裏來的？」取蜜的人說：「一定是藏蜜的人不小心．」

孫亮又問藏蜜的人說：「這粒老鼠矢是那裏來的？」藏蜜的人說：「我藏的蜜，向來沒有髒東西落在裏面；怕是別人放進去，想陷害我．」

的？”藏蜜的人说：“我藏的蜜，向来没有脏东西落在里面；怕是别人放进去，想陷害我。”孙亮说：“这事，不难知道真相。假使老鼠屎落在蜜里已很长久了，里面必定很潮湿；如果是刚才放进去，里面必定还干燥。”说罢，就把老鼠屎剖开察看，里面却很干燥。这时候，那个取蜜的人，目瞪口呆，再也不能强辩。

孫亮說:「這事,不難知道真相。假使老鼠矢落在蜜裏已很長久了,裏面必定很潮濕;如果是剛才放進去,裏面必定還乾燥。」說罷,就把老鼠矢剖開察看,裏面卻很乾燥。這時候,那个取蜜的人,目瞪口呆,再也不能強辯。

三斤

奚硯耘在出門以前,買了三斤牛肉,交給廚子錦敖說:「替我煮五香醬牛肉。」錦敖把牛肉煮得又香又爛,不覺饞

第123课 三斤

奚砚耘在出门以前，买了三斤牛肉，交给厨子锦敖说：“替我煮五香酱牛肉。”锦敖把牛肉煮得又香又烂，不觉馋涎欲滴，便一块一块的偷来吃。等到奚砚耘回来，牛肉早已没有了。奚砚耘瞋着眼，问锦敖道：“我叫你煮的酱牛肉呢？”锦敖道：“我把牛肉放在厨里，不料被猫儿吃去了。”奚砚耘当即将那只猫捉来，秤了一秤，指着问锦

涎欲滴，使一塊一塊的偷來喫．等到奚硯耘回來，牛肉早已沒有了．

奚硯耘瞋著眼，問錦敖道：『我叫你煮的醬牛肉呢？』錦敖道：『我把牛肉放在廚裏，不料，被貓兒喫去了．』奚硯耘當即將那隻貓捉來，稱了一稱，指著問錦敖道：『你瞧，這不是剛好三斤嗎？要是這三斤是牛肉的重量，那麼我的貓到那裏去了呢？要是這三斤是貓的重量，那麼我的牛肉在那裏呢？』錦敖聽了，面紅耳赤，羞得一句話也回答不出．

諸葛子瑜之驢

敖道：“你瞧，这不是刚好三斤吗？要是这三斤是牛肉的重量，那么我的猫到哪里去了呢？要是这三斤是猫的重量，那么我的牛肉在哪里呢？”锦敖听了，面红耳赤，羞得一句话也回答不出。

諸葛恪是諸葛子瑜的兒子,小時候,很聰明.有一次,國王請客,招諸葛子瑜和他的兒子一同陪宴.諸葛子瑜的面孔很長,國王想和他開一箇玩笑,暗暗叫人在驢子的臉上,貼著「諸葛子瑜」四箇字,意在把驢子的面孔,比作諸葛子瑜的面孔.客人入了席,這隻驢子便牽上來,眾客都大笑.諸葛恪在旁見了,隨即向人討了筆墨,在「諸葛子瑜」的

第124课 诸葛子瑜之驴

诸葛恪是诸葛子瑜的儿子。小时候，很聪明。有一次，国王请客，招诸葛子瑜和他的儿子一同陪宴。诸葛子瑜的面孔很长，国王想和他开一个玩笑，暗暗叫人在驴子的脸上，贴着“诸葛子瑜”四个字，意在把驴子的面孔，比作诸葛子瑜的面孔。客人入了席，这只驴子便牵上来，众客都大笑。诸葛恪在旁见了，随即向人讨了笔墨，在“诸葛子瑜”的下面增添了“之驴”两个字，意思便成了诸葛子瑜的驴子。国王见他十分聪明，就把那匹驴子赏给他。宴会完毕后，诸葛恪和他的父亲牵了驴子，一同回去。

下面，增添了「之驢」兩箇字，意思便成了諸葛子瑜的驢子。國王見他十分聰明，就把那匹驢子賞給他。宴會完畢後，諸葛恪和他的父親牽了驢子，一同回去。

一隻花籃

有一處地方，豎著一根五丈高的竹竿；竹竿頂上，掛著一隻花籃。旁邊，另外有一塊木牌，上面寫著：『如果有人不用梯子，或凳子，或別的墊脚的東西，而且也不把竹竿放倒，能彀取得這隻花籃的，便把這隻花籃送給那个人。』

第125课 一只花篮

有一处地方，竖着一根五丈高的竹竿；竹竿顶上，挂着一只花篮。旁边，另外有一块木牌，上面写着：“如果有人不用梯子，或凳子，或别的垫脚的东西，而且也不把竹竿放倒，能够取得这只花篮的，便把这只花篮送给那个人。”一时聚集了许多人，都想取得这只花篮。但是，没有一个人想得出方法。忽然走过一个小学生，他向竹竿望了一

一時聚集了許多人，都想取得這隻花籃．但是，沒有一个人想得出方法．忽然走過一个小學生，他向竹竿望了一會，又把木牌上的字看了一遍，笑道：『這箇方法很容易，怎麼大家都想不出呢？』說罷，他便把那竹竿拔了起來，拏在手裏，慢慢走到前面的一口井邊，將竹竿輕輕往井口裏插下，那竹竿漸漸變得很短了．他便取了竹竿頂上的花籃，笑嘻嘻地

会，又把木牌上的字看了一遍，笑道：“这个方法很容易，怎么大家都想不出呢？”说罢，他便把那竹竿拔了起来，拏在手里，慢慢走到前面的一口井边，将竹竿轻轻往井口里插下，那竹竿渐渐变得很短了。他便取了竹竿顶上的花篮，笑嘻嘻地提回家去。

提回家去.

完全是假的故事

最歡喜聽故事的褚蘊,用一隻指環做獎品,徵求一箇完全是假的故事.要使他聽了,決不相信實有其事,纔算合格.

許多聰明的人,都想構成一箇荒唐無稽的故事,獲得那隻指環.可是過了幾天,終究沒有一个合格的人.

最後,來了一个老人,手裏

第 126 课 完全是假的故事

最喜欢听故事的褚蕴，用一只指环做奖品，征求一个完全是假的故事。要使他听了，决不相信实有其事，才算合格。许多聪明的人，都想构成一个荒唐无稽的故事，获得那只指环。可是过了几天，终究没有一个合格的人。最后，来了一个老人，手里提着一个坛。一进门，就说道：“你的祖父曾经向我借过一坛金子，请你照数还给我罢！”褚蕴说：“我的祖父是有钱的人，哪里会向你借钱！这话别说我不相信，就

提着一箇罎．一進門，就說道：「你的祖父，曾經向我借過一罎金子，請你照數還給我罷！」

褚蘊說：「我的祖父是有錢的人，那裏會向你借錢！這話別說我不相信，就是本村的人，誰會相信呢！」

老人大笑道：「好啦！這故事既然是誰也不相信的，那麼請你把指環給我罷．否則，我的故事便是真的，那麼請你將你的祖父欠我的一罎金子，償還我．」

這時褚蘊纔明白老人是來應徵說故事的．因為這故事同徵求的條件符合，只得把指環送給老人．

是本村的人，谁会相信呢！”老人大笑道：“好啦！这故事既然是谁也不相信的，那么请你把指环给我吧。否则，我的故事便是真的，那么请你将你的祖父欠我的一坛金子，偿还我。”这时褚蕴才明白老人是来应征说故事的。因为这故事同征求的条件符合，只得把指环送给老人。

可憐蟲

天傍晚，太陽紅。小蜘蛛，坐網中。聽得蒼蠅說：「這是銀綫傘，面面都透空。」聽得蚊子說：「這是八卦篷，幅幅都透風。」小蜘蛛，開口說：「蚊小姐，蠅老兄。這不是銀綫傘，也不是八卦篷。這是安樂宮，也叫神仙洞。構造很巧妙，形式又玲瓏。宮裏築軌道，處處有路通。宮裏貯食物，樣樣滋味濃。好朋友呀，快請飛進宮！」蚊、蠅聽說喜沖沖，鼓動翅膀飛

第127课 可怜虫

天傍晚，太阳红。小蜘蛛，坐网中。听得苍蝇说：“这是银线伞，面面都透空。”听得蚊子说：“这是八卦篷，幅幅都透风。”小蜘蛛，开口说：“蚊小姐，蝇老兄。这不是银线伞，也不是八卦篷。这是安乐宫，也叫神仙洞。构造很巧妙，形式又玲珑。宫里筑轨道，处处有路通。宫里贮食物，样样滋味浓。好朋友呀，快请飞进宫！”蚊、蝇听说喜冲冲，鼓动翅膀飞进宫。身体黏在蛛网上，好比关在监狱中。一个急得嘤嘤哭，一个急得叫嗡嗡。蜘蛛说：“呆蚊子，笨苍蝇。不要叫，不许动。让我吃掉你们这些害人的可怜虫。”

進宮。身體黏在蛛網上，好比關在監獄中。一箇急得嚶嚶哭，一箇急得叫嗡嗡。

蜘蛛說：「蚊子，笨蒼蠅，不要叫，不許動。讓我喫掉你們這些害人的可憐蟲。」

五種小動物

南陽諸葛亮，獨坐中軍帳。排起八陣圖，要捉飛來將。長腳小兒郎，嗡嗡飛進房。紅酒喝醉後，一拍便收場。頭戴紅紗帽，身穿黑外套。

第 128 课 五种小动物

南阳诸葛亮，独坐中军帐。排起八阵图，要捉飞来将。长脚小儿郎，嗡嗡飞进房。红酒喝醉后，一拍便收场。头戴红纱帽，身穿黑外套。登台做手艺，走路唱徽调。身着电光衣，常在草上嬉。孩子捉到了，藏在小瓶里。小将武功好，能飞还能跳。住在墙角坳，夜夜瞿瞿叫。

登臺做手藝，走路唱徽調，身着電光衣，常在草上嬉，孩子捉到了，藏在小瓶裏。小將武功好，能飛還能跳，住在牆腳坳，夜夜瞿瞿叫。

乘涼的晚上

夏日的天氣很熱。晚上，母親坐在院子裏乘涼。邱瓊笙和妹妹瑶笙，坐在旁邊做猜謎遊戲。瓊笙說：「紅船頭，黑梢棚，念四副篙子兩邊撐——這是甚麼動物？」

第129课 乘凉的晚上

夏日的天气很热。晚上，母亲坐在院子里乘凉。邱琼笙和妹妹瑶笙，坐在旁边做猜谜游戏。琼笙说："红船头，黑梢棚，念四副篙子两边撑——这是什么动物？"瑶笙说："这是蟹。"琼笙说："蟹哪里有这许多脚。"瑶笙说："或许是虾吧。"琼笙说："也不对，虾的头上，不是红的。"瑶笙想了好久，没有猜着。母亲说："这是一种节足动物，

瑤笙說：「這是蟹.」瓊笙說：「蟹那裏有這許多脚.」瑤笙說：「或許是蝦罷.」瓊笙說：「也不對，蝦的頭上，不是紅的.」瑤笙想了好久，沒有猜着.母親說：「這是一種節足動物，常潛伏在陰濕地方的.」瑤笙又想了一會說：「猜着了，一定是蜈蚣.」瓊笙說：「是的.」

隔了一會，瑤笙又說：「頭插一對雄雞毛，身穿一件青色袍；手裏握着兩把刀，小蟲見了拚命逃.——這是甚麼動物？」瓊笙笑道：「那是螳螂.」

扇子的故事(一)

一箇暑天的早晨，晉朝的王羲之，正在憑窗習字.

常潜伏在阴湿地方的。”瑶笙又想了一会说：“猜着了，一定是蜈蚣。”琼笙说：“是的。”隔了一会，瑶笙又说：“头插一对雄鸡毛，身穿一件青色袍；手里握着两把刀，小虫见了拼命逃——这是什么动物？”琼笙笑道：“那是螳螂。”

忽聽得一个賣扇子的老婆子,在門外叫喊.羲之便喊住他,叫他把扇子送進去瞧瞧.羲之拏到了扇子,就提起筆來,在每把扇面上,題了一首詩.老婆子很著急,說道:「這許多潔白的扇子,都給你弄髒了,叫我怎樣賣錢呢?」羲之笑道:「不妨事.你在叫賣的時候,只要聲明是王羲之寫的,包你可以多賺幾倍的錢」.老婆子無可奈何,只得收回了扇子,到市上去賣.

第130课 扇子的故事

一个暑天的早晨，晋朝的王羲之，正在凭窗习字。忽听得一个卖扇子的老婆子，在门外叫喊。羲之便喊住他，叫他把扇子送进去瞧瞧。羲之拿到了扇子，就提起笔来，在每把扇面上，题了一首诗，老婆子很着急，说道：“这许多洁白的扇子，都给你弄脏了，叫我怎样卖钱呢？”羲之笑道：“不妨事，你在叫卖的时候，只要声明是王羲之写的，包你可以多赚几倍的钱。”老婆子无可奈何，只得收回了扇子，到市上去卖。不到片刻，果然卖完了。而且，每把都多赚几百个钱。从

不到片刻，果然賣完了．而且，每把都多賺幾百箇錢．
從此，老婆子常常拏了扇子，去請羲之寫字．羲之
被他糾纏得窘極了，每次看見他來，便到隔壁的小
衖中去躲避．後來，大家把那條小衖叫做「躲婆衖．」

扇子的故事（二）

宋朝的蘇軾，能文章，善書畫；而且，能彀想出種種
方法，替人排難解紛．
當他任杭州太守的時候，有一年的夏天，有一个
少年，扭著一个賣扇子的老人，到他衙門裏來告狀．
蘇軾問那少年道：「你為甚麼要告他？」少年道：「他欠我

此，老婆子常常拿了扇子，去请羲之写字。羲之被他纠缠得窘极了，每次看见他来，便到隔壁的小弄中去躲避。后来，大家把那条小弄叫做“躲婆弄。”

宋朝的苏轼，能文章，善书画；而且，能够想出种种方法，替人排难解纷。当他任杭州太守的时候，有一年的夏天，有一个少年，扭着一个卖扇子的老人，到他衙门里来告状。苏轼问那少年道：“你为什么要告他？”少年道：“他欠我十吊钱，约了几个日期，总是延挨

十吊錢,約了幾箇日期,總是延挨不還,所以要告他.』
蘇軾又問那老人道:『你為甚麼欠了他的錢,延期
不還呢?』老人低頭訴說道:『我借了他的錢,去批了許
多扇子.那知直到如今,扇子沒有賣出去,所以欠他
的那筆款子,只好延期償還了.』
蘇軾很可憐那老人的遭遇,便叫他去拏十把扇
子來,當堂替他畫了些花卉,叫他再拏到市上去賣.
果然不到片刻,那老人笑嘻嘻的拏了十幾吊錢來
投案了.蘇軾叫他先把債償清了,賸下的一齊給他.

不还，所以要告他。”苏轼又问那老人道：“你为什么欠了他的钱，延期不还呢？”老人低头诉说道：“我借了他的钱，去批了许多扇子。哪知直到如今，扇子没有卖出去，所以欠他的那笔款子，只好延期偿还了。”苏轼很可怜那老人的遭遇，便叫他去拿十把扇子来，当堂替他画了些花卉，叫他再拿到市上去卖。果然不到片刻，那老人笑嘻嘻的拿了十几吊钱来投案了。苏轼叫他先把债偿清了，剩下的一齐给他。

大發明家愛迪生

愛迪生是美國的大發明家.當他八十四歲誕辰的那天,有人問他:「你的幾千種發明品中,那一種你自己覺得最滿意?」愛迪生說:「我最樂意的是留聲機.因為這件東西,能使人的煩悶,變成快樂.」

原來愛迪生在做工廠管理員的時候,他覺得工人散工後,沒有適當的消遣.就在屋子的窗上,裝箇喇叭,把有趣的故事講給工人們聽.但是常有冷風從喇叭裏吹進,使他打呃,於是他在喇叭口貼著一層薄紙,防禦那冷風.

有一天,愛迪生又在講話,聲音高,便見薄紙振動

第131课 大发明家爱迪生

爱迪生是美国的大发明家。当他八十四岁诞辰的那天，有人问他："你的几千种发明品中，哪一种你自己觉得最满意？"爱迪生说："我最乐意的是留声机。因为这件东西，能使人的烦闷变成快乐。"原来爱迪生在做工厂管理员的时候，他觉得工人散工后，没有适当的消遣。就在屋子的窗上，装个喇叭，把有趣的故事讲给工人们听。但是常有冷风从喇叭里吹进，使他打呃，于是他在喇叭口贴着一层薄纸，

強;聲音低,便見薄紙振動弱.他想:若使把這強弱的振動,刻劃在某種東西上,不是可以把聲音保留嗎?他就做了箇攝音機,把聲浪刻留在錫箔上.然後用針轉動錫箔上的刻紋,便發出和先前一樣的聲音來.不過剛發明時.聲音很低.製造很簡單.經他多年的改革,纔成一件靈巧的東西.

防御那冷风。有一天，爱迪生又在讲话，声音高，便见薄纸振动强；声音低，便见薄纸振动弱。他想：若使把这强弱的振动，刻划在某种东西上，不是可以把声音保留吗？他就做了个摄音机，把声浪刻留在锡箔上，然后用针转动锡箔上的刻纹，便发出和先前一样的声音来。不过刚发明时，声音很低。制造很简单，经他多年的改革，才成一件灵巧的东西。

编后记

“上海图书馆馆藏拂尘・老课本”三种:《商务国语教科书》、《开明国语课本》、《世界书局国语读本》, 在岁月中尘封了将近百年。

《商务国语教科书》是庄俞等编写, 张元济校订, 特点是从居家、处世方面取材, 以儿童周围事物和见闻立义, 注意农业、工业、商业等实用知识和日常应用知识, 穿插了不少聪明孩子的故事。本书自1917年初版问世, 十年中共发行七八千万册, 是民国时期影响最大的语文教科书。虽然文白交加的语言会让今天的学生感到陌生, 但精美的图画和精炼的语句还是让人爱不释手。

《开明国语课本》由叶圣陶亲自编写, 全部是创作或再创作。以确能发展儿童的阅读能力和表达能力为目标, 内容紧系儿童生活, 从儿童周围开始, 逐渐拓展到社会。材料活泼隽趣, 文体兼容博取, 文章力选各体的模式, 词、句、语调切近儿童口吻, 以适应儿童学习心理。初年级课本的文字用手写体, 由丰子恺书写并绘插图。特点是图画与文字有机配合, 这在当时同类教科书中是很新颖的作法。课本于1932年初版后印行40余版次。

《世界书局国语读本》是魏冰心等编写, 薛天汉等校订, 于上世纪30年代出版。这是受五四新文化影响最早用白话文编写的教科书之一。特点是课文内容中采入寓言、笑话、自然故事、生活故事、传说历史和儿童民歌, 以增加学生的阅读趣味。

这套图文并茂、琅琅上口的百年老课本曾经滋养了我们的前辈，并启迪过他们的智慧。今天我们将此发掘出来，是因为这些老课本或许还具有一定的参考和借鉴的价值。考虑到今天学生的阅读习惯，我们在保留原书风貌的同时，删去了一些不合时宜的内容。原课文下附有简体字说明。

还要说明的是，由于我们得到的版本年代过久，其中一些图文已经模糊，不得已只能这般影印，还请读者多多谅解。

历史在新旧的交替中向前发展，文化在传承中不断更新，昔日的老课本对于我们今天还能觅得多少可以继承或发扬的传统呢？还能为今天的孩子们提供多少有意义有价值的教育启迪呢？这应该是在它再次面世后的评说。

——编者——

图书在版编目(CIP)数据

世界书局国语读本(上下册)/魏冰心等编. 一上海:
上海科学技术文献出版社，2005.1
ISBN 7-5439-2486-2

Ⅰ.世... Ⅱ.魏... Ⅲ.语文课一小学一教材一中国
一近代 Ⅳ.G624.201

中国版本图书馆CIP数据核字(2004)第135843号

责任编辑: 陈宁宁
封面设计: 一步设计工作室

世界书局国语读本
(上下册)
魏冰心等 编 薛天汉等 校订
*
上海科学技术文献出版社出版发行
(上海市长乐路746号 邮政编码200040)
全 国 新 华 书 店 经 销
常熟市华顺印刷有限公司印刷
*
开本 890×1240 1/32 印张 13.875
2010年12月第5次印刷
ISBN 7-5439-2486-2/G·648
定价: 26.00元
http://www.sstlp.com